建筑装饰装修职业技能

岗位标准
鉴定规范
习题集

建筑装饰装修金属工

中国建筑工业出版社

建筑装饰装修职业技能
岗 位 标 准
鉴 定 规 范
习 题 集
建筑装饰装修金属工
*
中国建筑工业出版社出版、发行（北京西郊百万庄）
各地新华书店、建筑书店经销
北京市兴顺印刷厂印刷
*
开本：787×1092 毫米 1/32 印张：8 字数：180 千字
2003 年 7 月第一版 2010 年 1 月第三次印刷
定价：**12.00** 元
统一书号：15112·10698

本社网址：http://www.cabp.com.cn
网上书店：http://www.china-building.com.cn

关于颁发建筑装饰装修镶贴工等六个职业技能《岗位标准》、《鉴定规范》和《习题集》的通知

为促进建筑装饰装修行业的发展，提高从业人员素质，根据国家对职业教育和职业培训的要求以及行业管理的迫切需要，我们组织业内有关专家编制了建筑装饰装修镶贴工、木工、金属工、涂裱工、幕墙制作工、幕墙安装工六个职业技能《岗位标准》、《鉴定规范》和《习题集》，现颁布试行。试行中有何问题和建议，请及时函告协会培训部。

中国建筑装饰协会

2003年4月1日

前　言

为了促进建筑装饰装修行业的发展，提高从业人员的素质，根据国家对职业教育和职业培训的要求，结合全行业工人学习、培训、鉴定工作的实际需要，我们将建筑装饰装修职业技能《岗位标准》、《鉴定规范》和《习题集》按工种汇编成系列丛书。

每本书内容均按初级工、中级工、高级工、技师和高级技师设置，包括理论部分和实际操作部分。

各地区在使用过程中，严禁翻印。不妥之处请提出宝贵意见。

目　录

第一部分
建筑装饰装修金属工职业技能岗位标准

1．专业名称：建筑装饰装修

2．职业名称：装饰装修金属工

3．职业定义：在建筑装饰装修工程中，从事金属门窗、塑钢门窗、不锈钢饰品和铁艺及其他金属件制作安装等。

4．适用范围：建筑装饰装修

5．技能等级：设初级工、中级工、高级工、技师、高级技师五级。

6．学徒期：二年、连续从事本工种学徒、实际满两年。

一、金属工初级工

知识要求（应知）

1．基本看懂本工种制作安装图。

2．了解建筑装饰装修常用金属材料的规格、型号、性能。

3．掌握施工部位实测、基准点的测量定位及弹线定位的方法。

4．了解一般金属材料的焊接与切割方法。

5．掌握简单构件的划线。

6．掌握金属构件和预埋件制作、连接和固定方法。

7．了解金属表面防锈、防腐处理一般常识。

8. 掌握常用工具及设备的安全使用及简单维护。

9. 掌握本工种安全技术操作规程。

10. 了解本工种质量验收的要求。

操作要求（应会）

1. 根据施工要求完成测量放线。

2. 根据图纸和实测要求，进行简单装饰金属构件的划线、切割并完成切口的毛刺处理。

3. 装饰金属构件及门窗预埋件、连接件的制作。

4. 预埋、灌注水泥砂浆及一般抹灰处理养护。

5. 膨胀螺栓的固定。

6. 对预埋件及连接件进行防锈处理。

7. 会使用与保养台钻、手电钻、冲击钻、电锤等工具。

8. 正确使用砂轮切割机、氧乙炔切割机，并对设备进行简单维护。

二、金属工中级工

知识要求（应知）

1. 看懂较复杂的施工图，明确设计要求。

2. 了解金属骨架隔墙的施工要求。

3. 掌握各类金属门窗的施工安装方法。

4. 掌握各类金属楼梯、护拦、金属装饰件的制作、安装方法。

5. 了解各种金属装饰材料的物理、化学性能及加工性能。

6. 掌握各种设备机具如：切割机、开榫机、铣孔机、型材切割机、铆角机等的使用与保养及一般焊接与切割工艺。

7. 掌握玻璃划切、胶条的嵌填及打胶操作方法。

8. 掌握下料及计算方法。

9. 了解各种测量仪器的使用与保养。

10. 掌握本工种的施工规范及质量标准。

11. 具有班组管理能力。

操作要求（应会）

1. 能够检查评定与本工种施工有关的土建、安装工程是否合格，提出验收意见。

2. 能够测量放线、确定节点、弹线定位、安装吊件并进行防锈处理。

3. 依据金属件尺寸合理布置锚固点，保证牢固可靠安全。

4. 利用粘、钉、扣、挂等方法安装罩面板。

5. 隔墙横撑的安装，填充保温、隔声材料及墙内、吊顶内相关金属制品的安装。

6. 根据设计要求计算划线、切割下料。

7. 铝合金、塑钢、不锈钢等各类门窗的外框安装固定及组装、调试。

8. 按图纸要求计算工料。

9. 焊接接头打磨、抛光处理。

三、金属工高级工

知识要求（应知）

1. 看懂本工种复杂的制作安装图纸，并提出相关问题。

2. 根据各类金属的加工性能及金属构件的受力状况，确定其焊接、铆接、螺栓连接的工艺方法。

3. 了解本工种新技术、新材料、新工艺、新设备的推广与应用。

4. 掌握各类测量及检验工具的原理及使用。

5. 对初、中级金属工进行技术指导和技术监督。

6. 了解相关专业的技术规范，如高空作业、防雷电等。

操作要求（应会）

1. 各种装饰金属材料的加工方法（冷、热加工方法）。

2. 利用手工、专用设备，采取铸、锻、焊、烤、钣金加工等各种工艺方法制作复杂、异形金属花格、花饰并进行安装。

3. 采用各种方法进行高空作业，完成各种栏杆、扶手、门窗、采光屋顶、招牌门面等金属构件的安装。

4. 绘制施工草图和设计简单工装。

5. 完成与金属装饰构件有关的密封、保温、绝缘、防雷电等技术操作。

6. 独立进行本工种的现场施工管理。

四、金属工技师

知识要求（应知）

1. 看懂相关复杂工程结构大样图，绘制金属部件大样图、锚固位置图及安装图。

2. 掌握主体结构特点，能进行工艺设计。

3. 编制施工工艺卡。

4. 制定岗位责任制度。

5. 熟悉各种切割、打磨等金属加工安装设备管理、维修及保养。

6. 进行本工种施工质量评定。

7. 及时了解新技术、新材料、新工艺、新设备信息。

8. 使用计算机进行文字处理。

9. 撰写技术总结。

操作要求（应会）

1. 熟练掌握彩色涂层钢板、彩色不锈钢板、薄板不锈钢钣金成型技术。

2. 参与招投标成本报价工作。

3. 能够进行工料计算分析。

4. 较复杂的自制辅助工具的设计与制作。

5. 室内外金属装饰物的制作。

6. 金属工技术操作难点示范及技艺传授。

7. 常用装饰装修金属材料的识别。

8. 对中、高级工进行技术培训。

五、金属工高级技师

知识要求（应知）

1. 参与图纸会审与施工技术交底。

2. 全面掌握金属工施工组织原则、方法。

3. 了解相关工种基础工艺，具有技术协调能力。

4. 初步掌握建筑装饰装修构造基本原理。

5. 掌握装饰装修金属材料的性能及各种冷、热加工工艺。

6. 具有本工种全面质量控制能力。

7. 提出新技术、新材料、新工艺、新设备应用方案。

8. 掌握计算机绘图。

操作要求（应会）

1. 绘制本工种工程制作安装图。

2. 提出工艺设计方案，处理解决工艺难题。

3. 提出材料、用工、设备选用方案。

4. 提出本工种施工进度方案。

5. 处理解决本工种工程质量事故难题。

6. 室内外一般金属雕塑的制作。

7. 对高级工、技师进行技术培训。

第二部分
建筑装饰装修金属工职业技能鉴定规范

第一章 说 明

一、鉴定要求

1. 鉴定试题符合本职业技能鉴定规范内容。

2. 职业技能鉴定分为理论考试和实际操作考核两部分。

3. 理论部分试题分为：是非题、选择题、计算题和简答题。

4. 考试时间：原则上理论考试时间为2h，实际操作考核为4～6h。两项考试均实行百分制。

5. 理论考试和实际操作考核成绩均达到60分以上为技能鉴定合格。

二、申报条件

1. 申请参加初级工技能鉴定的人员必须具有初中毕业以上文化程度，且从事本岗位工作二年以上。

2. 申请参加中级工技能鉴定的人员必须具有初级岗位证书，且在初级岗位上工作三年以上。

3. 申请参加高级工技能鉴定的人员必须具有中级岗位证书，且在中级岗位上工作三年以上。

4. 申请参加技师技能鉴定的人员必须具有高级工岗位证书，且在高级工岗位上工作三年以上。

5. 申请参加高级技师技能鉴定的人员必须具有技师岗位证书，且在技师岗位上工作三年以上。

三、考评员构成及要求

1. 具有中级技术职称以及本工种高级工以上者。

2. 掌握本工种技能鉴定规范的内容。

3. 理论部分考评员原则上按每15名考生配备一名考评员，即15:1。操作部分考评员原则上按每5名考生配一名考评员，即5:1。

四、工具、设备要求

1. 电动曲线锯、电剪刀、型材切割机、风动锯、手电钻、冲击电钻、电锤、风动冲击锤、电焊机、气焊设备、风动拉铆枪、射钉枪、电动角向磨光机、电动角向钻磨机等。

2. 常用手工工具：手锯、锤、锉、尺子、扳手等。

第二章　鉴定规范内容

第一节　道德鉴定规范

一、本标准适用于从事建筑装饰装修工程施工的所有工种中初级工、中级工、高级工、技师和高级技师的道德鉴定。

二、道德鉴定在企业广泛开展道德教育的基础上，采取笔试或用人单位按实际表现鉴定的形式进行。

三、道德鉴定的内容主要包括：遵守宪法、法律、法规，遵守国家的各项政策和各项安全技术操作规程及本单位的规章制度，树立良好的职业道德和敬业精神、文明施工以及刻苦钻研技术的精神。

四、道德鉴定由企业负责,劳务资格鉴定站审核。考核结果分为优、良、合格、不合格。对笔试考核的,60 分以下的为不合格,60～79 分为合格,80～89 分为良,90 分以上为优。

第二节　业绩鉴定规范

一、本标准适用于从事建筑装饰装修工程施工的所有工种中初级工、中级工、高级工、技师、高级技师的业绩鉴定。

二、业绩鉴定在加强企业日常管理和工作考核的基础上，针对所完成的工作任务，采取定量为主、定性为辅的形式进行。

三、业绩鉴定的内容主要包括，完成生产任务的数量和质量，解决生产工作中技术业务问题的成果，传授技术、经验的成绩以及安全生产的情况。

四、业绩鉴定由企业负责，考核结果分为优、良、合格、不合格。对定量考核的，60 分以下的为不合格，60～79 分为合格，80～89 分为良，90 分以上为优。

第三节　技能鉴定规范

一、金属工初级工

（一）技能鉴定规范的内容

项目	鉴定范围	鉴 定 内 容	鉴定比重	备注
知识要求			100%	
基本知识25%	1. 识图13%	(1) 识图的基本知识	5%	掌握
		(2) 建筑装饰装修工程施工图及各类详图	3%	掌握
		(3) 建筑工程施工图、各类详图和构件、配件标准图	3%	了解
		(4) 建筑图纸分类以及图纸中的构配件代号	2%	了解
	2. 房屋构造12%	(1) 民用建筑构造与主要组成	4%	了解
		(2) 工业建筑构造的分类与组成	4%	了解
		(3) 民用建筑中的墙体、楼板、屋面、楼梯、阳台的构造要求	4%	了解
专业知识60%	1. 材料9%	(1) 建筑装饰装修常用钢材的品种、规格、性能	3%	了解
		(2) 建筑装饰装修常用铝合金材料的品种、规格、性能	2%	了解
		(3) 建筑装饰装修常用其他装饰材料的品种、规格、性能	2%	了解
		(4) 建筑装饰装修常用金属连接材料的种类、规格、性能	2%	了解
	2. 施工操作20%	(1) 施工部位的实测方法	5%	掌握
		(2) 基准点的测量定位方法	5%	掌握
		(3) 施工弹线定位的方法	5%	掌握
		(4) 简单构件的划线、下料	5%	掌握
	3. 金属材料的焊接与切割4%	(1) 金属材料的焊接方法、焊接技术知识	2%	了解
		(2) 金属材料的切割方法、切割技术知识	2%	了解

续表

项目	鉴定范围	鉴定内容	鉴定比重	备注
专业知识60%	4. 金属构件和预埋件的制作、连接和固定13%	(1) 一般金属构件的制作、连接和固定方法	4%	掌握
		(2) 预埋件的制作、连接和固定方法	5%	掌握
		(3) 后置埋件的连接和固定方法	4%	掌握
	5. 金属表面的防锈、防腐处理4%	(1) 防锈、防腐材料	2%	了解
		(2) 金属表面的防锈、防腐处理方法	2%	了解
	6. 施工工艺10%	(1) 铝合金门窗的安装工艺	2%	熟悉
		(2) 塑钢门窗的安装工艺	2%	熟悉
		(3) 轻钢龙骨吊顶的施工工艺	2%	熟悉
		(4) 轻钢龙骨隔墙的施工工艺	2%	熟悉
		(5) 金属饰面板的安装施工工艺	2%	熟悉
相关知识15%	1. 常用工具与设备6%	(1) 常用金属加工工具与设备的性能、用途、保养方法	3%	掌握
		(2) 常用金属加工工具与设备的故障原因及简单维修方法	3%	掌握
	2. 质量与安全知识9%	(1) 安全操作规程常识	3%	掌握
		(2) 高空作业安全知识	2%	了解
		(3) 施工现场用电安全知识	2%	了解
		(4) 建筑装饰装修工程质量验收规范	2%	了解

续表

项目	鉴定范围	鉴定内容	鉴定比重	备注
操作要求			**100%**	
操作技能70%	1. 测量放线 12%	（1）检查现场操作施工的必备条件	4%	掌握
		（2）根据施工图纸要求复核标高尺寸	4%	掌握
		（3）根据施工图纸要求确定金属构件、预埋件、后置埋件的具体定位尺寸	4%	掌握
	2. 加工制作 18%	（1）据图纸和实测要求，进行简单装饰金属构件、预埋件、连接件的划线	4%	掌握
		（2）据图纸和实测要求，进行简单装饰金属构件、预埋件、连接件的下料切割	4%	学握
		（3）据设计和工艺要求，完成切口的毛刺处理	4%	掌握
		（4）装饰金属构件、预埋件、连接件的制作	6%	掌握
	3. 装饰金属构件、预埋件、连接件的连接与固定 16%	（1）装饰金属构件、预埋件、连接件的连接与固定定位尺寸确定	4%	掌握
		（2）装饰金属构件、预埋件、连接件的连接与固定	4%	掌握
		（3）装饰金属构件、预埋件灌注水泥砂浆及一般抹灰处理养护	4%	掌握
		（4）膨胀螺栓的固定	4%	掌握
	4. 金属构件、预埋件、连接件的防腐、防锈处理 4%	（1）金属构件、预埋件、连接件的防腐、防锈处理知识	2%	了解
		（2）金属构件、预埋件、连接件的防腐、防锈处理	2%	了解
	5. 门窗的安装 6%	（1）门窗框扇安装	2%	了解
		（2）安装把手及门窗锁	2%	了解
		（3）门窗玻璃的安装	2%	了解

续表

项目	鉴定范围	鉴定内容	鉴定比重	备注
操作技能70%	6. 轻钢龙骨吊顶、隔墙施工6%	(1) 轻钢龙骨吊顶、隔墙施工的定位放线	2%	了解
		(2) 轻钢龙骨吊顶、隔墙的龙骨就位安装	2%	了解
		(3) 轻钢龙骨吊顶、隔墙的罩面板安装	2%	了解
	7. 金属饰面板安装8%	(1) 金属饰面板的选择	2%	了解
		(2) 金属饰面板的加工	2%	了解
		(3) 金属饰面板的安装	2%	了解
		(4) 金属饰面板的修整	2%	了解
工具设备使用与维修15%	1. 工具使用与维修9%	(1) 常用金属加工机具及手持电动工具的安全使用	4%	掌握
		(2) 常用金属加工机具及手持电动工具的拆、卸、组装，加润滑油	3%	熟悉
		(3) 常用金属加工机具及手持电动工具的简单维修	2%	了解
	2. 检测工具6%	(1) 水平尺与线坠找平、吊线和弹线的操作方法	4%	掌握
		(2) 自用工具保养	2%	熟悉

续表

项目	鉴定范围	鉴定内容	鉴定比重	备注
安全及其他15%	1. 安全10%	(1) 安全施工的一般规定	6%	掌握
		(2) 防止触电、机械伤害的自我保护意识和行为方法	4%	掌握
	2. 文明施工5%	(1) 工完料清，文明生产	3%	掌握
		(2) 各类材料堆放与保护	1%	了解
		(3) 成品、半成品保护知识	1%	了解

(二) 技能鉴定试题范例

理论部分 (共100分)

1. 是非题 (对的打“√”，错的打“×”，每题1分，共25分)

(1) 建筑装饰工程中常用的钢材是碳素结构钢和低合金高强度结构钢。 ( )

(2) 钢材按化学成分不同可分为碳素钢和合金钢。 ( )

(3) 钢材按冶炼炉种不同可分为平炉钢、氧气转炉钢、空气转炉钢和电炉钢。 ( )

(4) 用氧气转炉冶炼的钢质量最好。 ( )

(5) 平炉钢的主要燃料是煤和煤气。 ( )

(6) 钢的强度高低是由碳的含量高低决定的。 ( )

(7) 据国家标准规定：低合金高强度结构钢的五个牌号是：Q295、Q345、Q390、Q420、Q460 ( )

(8) 彩色涂层钢板，据制作方法不同可分为一涂二烘和一涂三烘两类产品。 ( )

(9) 硬铝合金又称为杜拉铝。 ( )

（10）铝合金按加工方法不同，可以分为变形铝合金、铸造铝合金和装饰铝合金。（ ）

（11）隔断龙骨可分为竖龙骨、横龙骨和贯通龙骨。（ ）

（12）隔墙轻钢龙骨的主件有沿地龙骨、竖向龙骨、加强龙骨和贯通龙骨。（ ）

（13）顶棚轻钢龙骨据承载能力的大小可分为：上人吊顶和不上人吊顶。（ ）

（14）铝合金门的种类有：平开门、推拉门、低弹簧门、折叠门、旋转门和卷帘门。（ ）

（15）自攻螺钉具有螺齿较深、螺距较宽、硬度高、直接钻孔和提高工效的特点。（ ）

（16）木螺钉按其用途可分为：沉头、半沉头和半圆头木螺钉。（ ）

（17）金属膨胀螺栓由底部锥形螺栓、膨胀套管、平垫圈、弹簧垫圈和螺母组成。（ ）

（18）据焊条药皮的类型，焊条可分为酸性和碱性焊条。（ ）

（19）楼梯图一般有平面图、剖面图、详图三部分所组成。（ ）

（20）含碳量较高的钢材，厚度较大，形状复杂，一般选用酸性焊条焊接。（ ）

（21）只有设计单位统一绘制的具有通用性的图纸才可称为标准图。（ ）

（22）使用平刨在刨削操作中，刨身不论是向前或向后运动，都应紧贴工件面。（ ）

（23）使用凿进行凿眼操作中，为了出屑方便，凿可以

左右摆动和前后摇动。（ ）

（24）使用螺旋钻进行钻孔操作时，应双面钻，以防损坏工件表面的光洁度。（ ）

（25）绝对标高是以我国黄海海平面的平均高度为零而取量的。（ ）

2. 选择题（把正确答案的序号填在各题横线上，每题1分，共25分）

（1）据冶炼方法____钢的质量最好。

A. 平炉钢　　B. 氧气转炉钢

C. 空气转炉钢　　D. 电炉钢

（2）沸腾钢的代号____。

A.D　　B.E　　C.F　　D.G

（3）合金元素大于____为高合金钢。

A.10%　　B.12%　　C.15%　　D.20%

（4）含碳量大于____的铁碳合金称为铁。

A.2%　　B.2.02%　　C.2.04%　　D.2.06%

（5）吊顶龙骨的代号是____。

A.B　　B.D　　C.E　　D.F

（6）隔断龙骨的代号是____。

A.D　　B.Q　　C.Y　　D.J

（7）U形和T形龙骨主要用于____。

A. 吊顶　　B. 地面　　C. 屋顶　　D. 隔墙

（8）Q75系列以下的轻钢龙骨，用于层高____m以下的隔墙。

A.2.8　　B.3.0　　C.3.5　　D.4.0

（9）固定铝合金门的代号____。

A.GLM　　B.TLM　　C.STLM　　D.LTHM

(10) 安装450×600的玻璃窗扇，采用普通铰链规格为____。

A.25mm配12mm木螺钉

B.50mm配18mm木螺钉

C.75mm配30mm木螺钉

D.100mm配50mm木螺钉

(11) 刨的刨刃平面应磨成一定的形状，即形成____为正确。

A. 直线形　　B. 凹线圆弧形

C. 凸线圆弧形　　D. 斜线形

(12) 木门扇的锁，一般安装高度为____mm。

A.800～900　　B.900～950

C.900～1000　　D.1000～1100

(13) 在吊置平顶搁栅时，沿墙平顶筋____。

A. 按图纸注明设置　　B. 四周都要设置

C. 有时可设，有时可不设　　D. 四周都不必设置

(14) 当墙面的窗扇向里开窗时，窗上结构应作防水处理，其方法为____。

A. 固定不开　　B. 百叶窗

C. 披水板与出水槽（孔）　　D. 设窗帘

(15) 水平尺中的水准管，是空心的____玻璃管。

A. 直形　B. 方形　C. 球形　D. 半圆形

(16) 水平尺中的两个水准管，是成____布置。

A. 平行　B. 垂直　C. 成角　D. 随意

(17) 一般楼梯踏步的高和宽之和为____。

A.350　B.450　C.550　D.650

(18) 承重墙在建筑中的作用为____。

A. 承重　　　　　　　　B. 围护

C. 分隔　　　　　　　　D. 承重、围护、分隔

(19) 图纸的图标，位置在图框的____。

A. 之外　　　　　　　　B. 之内

C. 之内右下脚　　　　　D. 之外左上角

(20) 图纸的会签标，位置在图框的____。

A. 之外　　　　　　　　B. 之内

C. 之内右下脚　　　　　D. 之外左上角

(21) 在特殊情况下，图纸可以加长，其规定如下____。

A. 长边、短边均可加长

B. 长边可加长，短边不可加长

C. 长边不可加长，短边可加长

D. 长边、短边按一定关系加长

(22) 雨篷的代号为____。

A. YP　　B. WJ　　C. KJ　　D. SJ

(23) 砖墙的防水层顶面标高常为____。

A. −0.06m　　　　　　B. ±0.00m

C. 0.12m　　　　　　　D. 随便

(24) 踢脚线的高度一般为____。

A. 50～80mm　　　　　B. 80～200mm

C. 200～450mm　　　　D. 450～600mm

(25) 用墨斗弹线时，为使墨线弹的正确，提起的线绳要____。

A. 保持垂直　　　　　　B. 提得高

C. 与工件面成垂直　　　D. 多弹几次选择较好的一条

3. 计算题（每题 10 分，共 20 分）

(1) 某房间进深为 6.6m，在房间内沿进深方向设置轻

钢龙骨石膏板隔墙，试计算该隔墙沿地龙骨的最少固定点数。

（2）某装饰工程中，钢结构预埋连接件采用Ⅱ级钢筋作为锚筋，试求该锚筋的锚固长度。

4. 简答题（每题5分，共30分）

（1）轻钢龙骨的主要特点与性能有哪些？

（2）直角尺的主要用途是什么？如何校验直角尺的准确性？

（3）什么叫视图，什么叫三面视图？

（4）铝型材常用的着色处理方法有哪几种？

（5）铝合金门窗与钢木门窗相比有哪些方面的优点？

（6）钢材按冶炼炉种不同可分为哪几种？

实际操作部分（共100分）

1. 题目：隔墙轻钢龙骨安装（竖向龙骨间距603mm，横向龙骨间距1500mm）

2. 考核项目及评分标准

序号	考核项目	检查方法	测量	允许偏差	评分标准	满分	得分
1	龙骨及配件的材质及规格	观察外观、检查合格证	任意		不符合要求扣3分	10	
2	沿地、沿顶、沿墙主龙骨与基体连接	观察、手扳	任意		连接点符合要求，连接牢固，不符合要求每点扣3分	10	
3	龙骨架安装平整、垂直、位置正确	观察，2m靠尺、塞尺、垂直检查尺	任意	3mm	不符合要求每点扣2分	10	

续表

序号	考核项目	检查方法	测量	允许偏差	评分标准	满分	得分
4	龙骨间距及构造方法正确牢固	观察、手扳	任意		不符合要求每点扣3分	10	
5	墙面板安装牢固，无脱层、翘曲、折裂及缺损	观察、手扳	任意		不符合要求扣3分	10	
6	墙面板走向垂直度	2m垂直检查尺检查	任意	3mm	不符合要求每点扣2分	4	
7	墙面板表面平整度	用2m靠尺和塞尺检查	任意	3mm	不符合要求每点扣2分	4	
8	墙面板阴阳角方正	用直角检查尺检查	任意	3mm	不符合要求每点扣2分	4	
9	墙面板接缝直线度	拉5m线，不足5m拉通线，用钢直尺检查	任意	3mm	不符合要求每点扣2分	4	
10	墙面板接缝高低差	用钢直尺和塞尺检查	任意	1mm	不符合要求每点扣2分	4	

续表

序号	考核项目	检查方法	测量	允许偏差	评分标准	满分	得分
11	工艺操作规程				错误无分，局部错误扣1～10分	10	
12	安全生产				有事故无分，有事故隐患扣1～4分	5	
13	文明施工				工完料不清扣5分	5	
14	工效				低于定额90%无分，在90%～100%之间酌情扣分，超过定额者，酌情加1～3分	10	

二、金属工中级工

（一）技能鉴定规范的内容

项目	鉴定范围	鉴定内容	鉴定比重	备注
知识要求			**100%**	
基本知识19%	1．识图10%	（1）较复杂的建筑装饰装修工程施工图及各类详图	5%	掌握
		（2）较复杂的建筑工程施工图、各类详图和构件、配件标准图	5%	掌握
	2．房屋构造9%	（1）民用建筑构造与主要组成	3%	熟悉
		（2）工业建筑构造的分类与组成	3%	熟悉
		（3）民用建筑中的墙体、楼板、屋面、楼梯、阳台的构造要求	3%	熟悉

续表

项目	鉴定范围	鉴定内容	鉴定比重	备注
专业知识66%	1．材料8%	（1）建筑装饰装修常用金属材料的品种、规格、性能	4%	掌握
		（2）建筑装饰装修常用金属材料的理化性能	2%	了解
		（3）建筑装饰装修常用金属材料的加工性能	2%	了解
	2．施工操作24%	（1）根据设计要求对构件进行划线、下料	4%	掌握
		（2）各类金属楼梯、护栏、金属装饰件的制作方法	4%	掌握
		（3）各类金属楼梯、护栏、金属装饰件的安装方法	4%	掌握
		（4）玻璃划切、胶条的嵌填及打胶操作方法	4%	掌握
		（5）下料的计算方法	4%	掌握
		（6）对初级工进行相关施工操作方法指导	4%	掌握
	3．金属材料的焊接与切割8%	（1）金属材料的一般焊接方法、焊接技术知识	4%	掌握
		（2）金属材料的一般切割方法、切割技术知识	4%	掌握
	4．施工工艺20%	（1）各类金属门窗的施工安装工艺	4%	掌握
		（2）金属龙骨吊顶的施工工艺	4%	掌握
		（3）金属龙骨隔墙的施工工艺	4%	掌握
		（4）金属饰面板及各类罩面板的安装施工工艺	4%	掌握
		（5）对初级工进行相关施工工艺指导	4%	掌握
	5．金属表面的防锈、防腐处理6%	（1）防锈、防腐材料	3%	掌握
		（2）金属表面的防锈、防腐处理方法	3%	掌握

续表

项目	鉴定范围	鉴定内容	鉴定比重	备注
相关知识15%	1. 常用工具与设备5%	(1) 各类金属加工机具与设备的使用、保养及维修方法	3%	掌握
		(2) 各种测量仪器的使用与保养	2%	了解
	2. 质量与安全知识10%	(1) 建筑装饰装修工程质量验收规范	3%	掌握
		(2) 安全操作规程、高空作业及施工现场用电安全知识	3%	掌握
		(3) 班组管理基本知识	4%	掌握
操作要求			**100%**	
操作技能70%	1. 测量放线、弹线定位12%	(1) 检查评定与本工种施工有关的土建、安装工程是否合格，提出验收意见	4%	掌握
		(2) 根据施工图纸要求进行测量放线、确定节点、弹线定位	4%	掌握
		(3) 依据金属件尺寸及设计要求合理布置锚固点，确保锚固牢固可靠	4%	掌握
	2. 加工制作12%	(1) 根据设计要求，对装饰装修金属构件等进行计算划线	4%	掌握
		(2) 根据设计要求，对装饰装修金属构件等进行切割下料并进行制作	4%	掌握
		(3) 对装饰装修金属构件等的焊接接头进行打磨、抛光处理	4%	掌握
	3. 金属构件、预埋件、连接件的防腐、防锈处理6%	(1) 装饰装修金属构件等的防腐、防锈处理知识	3%	掌握
		(2) 装饰装修金属构件等的防腐、防锈处理	3%	掌握

续表

项目	鉴定范围	鉴 定 内 容	鉴定比重	备注
操作技能70%	4. 门窗的安装15%	(1) 铝合金、塑钢、不锈钢等金属门窗外框及拼樘料的安装固定	3%	掌握
		(2) 玻璃划切、胶条的嵌填及打胶操作	3%	掌握
		(3) 铝合金、塑钢、不锈钢等金属门窗的组装	3%	掌握
		(4) 铝合金、塑钢、不锈钢等金属门窗的调试	3%	掌握
		(5) 金属特种门的安装及调试	3%	熟悉
	5. 金属龙骨吊顶、隔墙施工15%	(1) 金属龙骨吊顶的吊点、隔墙的锚固点的施工定位及锚固固定	3%	掌握
		(2) 对金属龙骨吊顶的吊件进行防锈处理并进行安装	3%	掌握
		(3) 隔墙横撑的安装及填充保温、隔声材料	3%	掌握
		(4) 墙内、吊顶内的相关金属制品的安装	3%	掌握
		(5) 利用粘、钉、扣、挂等方法安装罩面板	3%	掌握
	6. 金属饰面板安装6%	(1) 金属饰面板的选择	2%	掌握
		(2) 金属饰面板的加工	2%	掌握
		(3) 金属饰面板的修整	2%	掌握
	7. 工料分析4%	按图纸及施工要求计算工料	4%	掌握

续表

项目	鉴定范围	鉴定内容	鉴定比重	备注
工具设备使用与维修15%	1. 工具使用与维修9%	(1) 各类金属加工机具及设备的安全使用	3%	掌握
		(2) 各类金属加工机具及设备的拆、卸、组装，加润滑油	3%	掌握
		(3) 各类金属加工机具及设备的维修	3%	掌握
	2. 检测工具6%	(1) 各种测量自用工具的使用与保养	4%	掌握
		(2) 各种测量仪器的使用与保养	2%	了解
安全及其他15%	1. 安全10%	(1) 安全施工的规定	4%	掌握
		(2) 高空作业及施工现场用电安全	3%	掌握
		(3) 防止触电、机械伤害的自我保护措施	3%	掌握
	2. 班组管理、文明施工等5%	(1) 成品、半成品保护	1%	掌握
		(2) 班组管理	2%	掌握
		(3) 对初级工进行技术及工艺指导	1%	掌握
		(4) 文明施工	1%	掌握

(二) 技能鉴定试题范例

理论部分（共100分）

1. 是非题（对的打“√”，错的打“×”，每题1分，共25分）

(1) 碳素结构钢牌号中的字母“a”表示的是屈服点数值。 (   )

(2) Q215钢材具有强度低、塑性好、受力后变形大的特点。 (   )

(3) 由于 Q275 钢材塑性较差，所以在装饰工程中很少应用。 (　　)

(4) 低合金高强度结构钢牌号中应包含屈服点、屈服点数值和质量等级三个部分。 (　　)

(5) 防锈铝合金是不能热处理强化的铝合金。 (　　)

(6) 硬铝合金是可热处理强化的铝合金。 (　　)

(7) 铝中加入适量的锰和镁都可起到固熔强化作用。 (　　)

(8) 超硬铝合金经热处理后其强度提高，但耐蚀性和耐高温性能降低。 (　　)

(9) 手枪式电钻的最大钻孔直径为 13mm。 (　　)

(10) 手提式电钻的最大钻孔直径为 22mm。 (　　)

(11) 轻钢龙骨隔墙的骨架拼装连接，常采用沉头木螺钉固定。 (　　)

(12) 轻钢龙骨的三个类别（C50、C75、C100），其构造方式相同，仅断面的宽度不同以适于建造不同高度的隔墙需要。 (　　)

(13) 之所以在木踢脚板上穿小孔，是为了使潮气能流出，以防踢脚板受潮腐朽。 (　　)

(14) 三不放过是指事故原因分析不清不放过，事故的责任者没有查清及有关人员没受到教育不放过，没有改进和防范措施不放过。 (　　)

(15) 发生重大伤亡事故的在场人员，必须在事故发生后的 1h 内向安全部门报告。 (　　)

(16) 6 级以上强风，严禁继续高空作业。 (　　)

(17) 实物工程量计划完成率是：$\frac{\text{实际完全工程量}}{\text{计划完成工程量}}\times$

100%　　　　　　　　　　　　　　　　　　　　（　）

（18）水准仪的精度应该转动调节脚螺旋来控制。

（　）

（19）圆的投影图为圆。　　　　　　　　　　（　）

（20）一个物体的作用力和反作用力总是大小相等，方向相反，作用线相同。　　　　　　　　　　　（　）

（21）水准线不但可以测定标高，而且可以测定角度。

（　）

（22）浇铸前在合金液中加入2%～3%的钠盐混合物，只提高铸造铝合金的强度，而对其塑性无影响。（　）

（23）铝型材着色处理的方法常用的有自然着色法和电解着色法。　　　　　　　　　　　　　　　　（　）

（24）使用凿进行凿眼操作中，为了出屑方便，凿可以左右摆动和前后摇动。　　　　　　　　　　（　）

（25）使用螺旋钻进行钻孔操作时，应双面钻，以防损坏工件表面的光洁度。　　　　　　　　　　（　）

2. 选择题（把正确答案的序号填在各题横线上，每题1分，共25分）

（1）优质钢材中磷和硫的含量小于________。

A. 磷0.035%、硫0.035%

B. 磷0.03%、硫0.03%

C. 磷0.025%、硫0.025%

D. 磷0.02%、硫0.02%

（2）高级优质钢中磷和硫的含量小于________。

A. 磷0.03%、硫0.03%

B. 磷0.025%、硫0.025%

C. 磷0.02%、硫0.02%

D. 磷 0.015%、硫 0.015%

(3) 牌号为 Q235-AF 的沸腾结构碳素钢，磷的含量不大于________。

A.0.030%　B.0.035%　C.0.040%　D.0.045%

(4) 建筑装饰装修工程中小于________mm 的不锈钢薄钢板用的最多。

A.1.0　B.1.5　C.2.0　D.2.5

(5) 彩色不锈钢板的色彩能耐________℃的温度不变色。

A.100℃　B.200℃　C.250℃　D.300℃

(6) 由轻钢龙骨和 2～4 层石膏板组成的隔断，其耐火极限可达________h。

A.1.0～1.6　B.1.2～1.8

C.1.5～2.0　D.2.0～2.5

(7) 施工技术水平一般的工人，每工日可完成隔断________m^2。

A.1.5～2.0　B.2.0～2.5

C.2.5～3.5　D.3.0～4.0

(8) 据静荷载试验，吊顶轻钢主龙骨的最大挠度不大于________mm。

A.3　B.4　C.5　D.6

(9) 轻钢龙骨超高墙的规格一般为________。

A. 墙厚 150mm，高度 5m　B. 墙厚 200mm，高度 6m

C. 墙厚 238mm，高度 7m　D. 墙厚 238mm，高度 8m

(10) 常用低碳钢的屈服点是________MPa

A.160～220　B.180～230

C.185～235　D.190～240

(11) 已知 A 点的标高为 0.256mm，水准测量中，A、B 两点的水准尺读数为 1153 mm和 1609mm，则 B 点的标高为________。

A.0.256m　B.－0.256m C.0.200m　D.－0.200m

(12) 在总平面图上，室外标高注为 3.856m，室内标高注为 4.456m，则室内外高低差为________mm。

A.150　B.450　C.600　D.900

(13) 木楼梯梯段靠墙踢脚板，是________的做法。

A. 踏步之间用三角铁拼成，上口为通长木条板

B. 都是用三角形木板作成

C. 通常木板上挖出踏步形状

D. 随便都可以

(14) 在混凝土构件上采用射钉固定，射钉的最佳射入深度为________mm。

A.12～22　B.22～32

C.32～38　D.38～42

(15) 压刨机刨刀吃刀深度，一般不超过________mm。

A.2　B.2.5　C.3　D.3.5

(16) 铝合金门框与墙体间的缝隙，应用________填塞密实，然后外表面再填嵌油膏。

A. 水泥砂浆　B. 石灰砂浆

C. 混合砂浆　D. 矿棉或玻璃棉毡

(17) 安装弹簧门扇的地弹簧时，顶轴与底座中轴心要垂直于同一根线，并________。

A. 使底座面标高同门口处的标高

B. 用细石混凝土固定

C. 混凝土的上表面低于底座面一个装饰面层厚度

D. 底座顶面标高同门口处标高，并用细石混凝土固定，使混凝土面比底座低于一个装饰层厚度

(18) 图纸的图标，位置在图框的________。

A. 之外　　　　　　　　B. 之内

C. 之内右下脚　　　　　D. 之外左上角

(19) 在硬木百叶窗扇的制作中，百叶板的水平倾斜度为________。

A. 90°　　B. 60°　　C. 45°　　D. 30°

(20) 在硬木百叶窗扇的制作中，最下面的一块百叶板的底部与下冒头应________。

A. 保持一定的空隙距离

B. 保持一个百叶板垂直高度的距离

C. 相互紧贴在一起

D. 相互咬进一段距离

(21) 在设备基础模板工程中，地脚螺栓的一般做法为________。

A. 上口固定

B. 下口固定

C. 上口、下口都固定

D. 上口下口都固定，螺纹丝扣镀黄油，并包扎

(22) 吊顶棚搁栅时，一般要找出起拱高度，当设计无要求时，对于 7～10m 跨度，一般起拱高度为____跨度。

A. 1/1000　　B. 2/1000　　C. 3/1000　　C. 4/1000

(23) 吊顶棚搁栅时，一般要找出起拱高度，当设计无要求时，对于 10～15m 跨度，一般起拱高度为____跨度。

A. 3/1000　　B. 4/1000　　C. 5/1000　　C. 6/1000

(24) 木挂镜线的接头应做成____接合，背面开槽，并

紧贴抹灰面。

A. 平接　　B. 销接　　C. 企口接　D. 企口压岔接

(25) 门扇宽为600mm，重10kg，采用双管弹簧铰链安装，弹簧铰链的规格为________。

A.75mm　　B.100mm　　C.125mm　　D.150mm

3. 计算题（每题10分，共20分）

(1) 一单扇平开铝合金门，洞口尺寸为1000mm，安装缝底侧为25mm，门框选用76mm×44mm扁方管铝合金型材，试计算门扇的下料宽度。

(2) 某装饰工程中，钢结构预埋连接件采用Ⅱ级钢筋作为锚筋，试求该锚筋的锚固长度。

4. 简答题（每题5分，共30分）

(1) 铝合金压型板的主要优点有哪些方面？

(2) 电焊条由哪几部分组成？

(3) 什么叫混凝土施工缝？施工缝应留在什么地方？

(4) 如何保证钢窗的安装质量？

(5) 产品保护有什么意义？需采取哪些措施？

(6) 怎样看木隔墙施工详图？

实际操作部分（共100分）

1. 题目：方柱面不锈钢饰面板

2. 考核项目及评分标准

序号	考核项目	检查方法	测量	允许偏差	评分标准	满分	得分
1	选材：饰面板品种规格性能	观察、合格证	任意		不符合要求每点扣3分	10	
2	板材裁板下料	尺量	任意	1mm	不符合要求每点扣3分	10	

续表

序号	考核项目	检查方法	测量	允许偏差	评分标准	满分	得分
3	黏结材料选择	观察、合格证	任意		不符合要求每点扣3分	10	
4	板材黏结表面平整	观察、2m靠尺和楔形塞尺检查	任意	3mm	不符合要求每点扣2分	10	
5	板材黏结阴阳角方正	用200mm方尺检查	任意	3mm	不符合要求扣2分	10	
6	板材黏结接缝平直	拉5m线检查，不足5m拉通线检查		0.5mm	不符合要求扣2分	10	
7	板材粘贴接缝高低	用直尺和楔形塞尺检查		1mm	不符合要求扣2分	10	
8	工艺操作规程				错误无分，局部错误扣1～9分	10	
9	安全生产				有事故无分，有事故隐患扣1～4分	5	
10	文明施工				工完料不清扣5分	5	
11	工效				低于定额90%无分，在90%～100%之间酌情扣分，超过定额者，酌情加1～3分	10	

三、金属工高级工

（一）技能鉴定规范的内容

项目	鉴定范围	鉴定内容	鉴定比重	备注
知识要求			100%	
基本知识33%	1. 识图与制图14%	(1) 复杂的建筑装饰装修工程施工图、各类详图及金属工程制作与安装施工图	4%	掌握
		(2) 复杂的建筑工程施工图、各类详图和构件、配件标准图	2%	掌握
		(3) 绘制金属工程制作与安装施工图及有关节点连接大样图	4%	熟悉
		(4) 设计简单工装并绘制相应的装饰装修施工图	4%	熟悉
	2. 房屋构造、图纸会审及施工组织设计19%	(1) 民用建筑构造与主要组成	3%	掌握
		(2) 工业建筑构造的分类与组成	3%	掌握
		(3) 民用建筑中的墙体、楼板、屋面、楼梯、阳台的构造要求	3%	掌握
		(4) 参加图纸会审并提出合理意见	3%	掌握
		(5) 整理图纸会审记录	3%	掌握
		(6) 编制工程施工组织设计的有关知识	2%	了解
		(7) 施工现场管理的各项规章制度	2%	了解

续表

项目	鉴定范围	鉴 定 内 容	鉴定比重	备注
专业知识52%	1. 材料15%	(1) 建筑装饰装修常用金属材料的理化性能	4%	掌握
		(2) 建筑装饰装修常用金属材料的加工性能	3%	掌握
		(3) 建筑装饰装修常用金属材料的识别及外观质量判别	2%	了解
		(4) 新材料、新工艺、新技术、新设备的推广与使用	2%	了解
		(5) 新材料的试验方法及保管方法	2%	了解
		(6) 制定成品及半成品材料保护措施	2%	了解
	2. 施工操作知识21%	(1) 根据设计要求对装饰装修金属材料进行冷、热加工的知识	4%	掌握
		(2) 利用手工、专用设备，采取铸、锻、焊、烤等各种工艺方法对复杂、异形金属花格、花饰进行制作并进行安装的知识	4%	掌握
		(3) 根据各类金属的加工性能及金属构件的受力状况，确定其焊接、铆接、螺栓连接的相关知识	4%	掌握
		(4) 采光屋顶、招牌门面等金属构件的制作与安装知识	3%	掌握
		(5) 与金属装饰构件有关的密封、保温、绝缘、防雷电等知识	3%	掌握
		(6) 对初级工、中级工进行相关施工操作方法指导与监督	3%	掌握
	3. 施工工艺16%	(1) 与金属装饰构件有关的密封、保温、绝缘、防雷电等技术工艺	3%	掌握
		(2) 特种门的安装施工工艺	3%	掌握
		(3) 采光屋顶、招牌门面等金属构件的制作与安装施工工艺	3%	掌握
		(4) 预埋件、后置埋件的拉拔力试验	2%	了解
		(5) 本工种与其他工种之间的交接检验	2%	掌握
		(6) 对初级工、中级工进行相关施工工艺指导与监督	3%	掌握

续表

项目	鉴定范围	鉴定内容	鉴定比重	备注
相关知识 15%	1. 常用工具与设备 3%	各种测量仪器与检验工具的原理及使用	3%	掌握
	2. 质量、安全与管理知识 12%	(1) 全面质量管理知识	2%	掌握
		(2) 相关专业的技术规范（高空作业、防雷电等）	2%	了解
		(3) 安全施工、文明施工知识	2%	掌握
		(4) 施工方案的编写及技术总结的撰写方法	2%	熟悉
		(5) 现场施工管理知识	2%	掌握
		(6) 质量与安全事故的预防	2%	掌握
操作要求			**100%**	
操作技能 70%	1. 检验、测量放线、弹线定位 20%	(1) 本工种与其他工种之间的交接检验	4%	掌握
		(2) 协调各工序之间的衔接关系	4%	掌握
		(3) 对工序质量进行自检、自评	4%	掌握
		(4) 运用各类测量仪器进行测量放线、弹线定位	4%	掌握
		(5) 运用各类检验工具进行工程质量检验	4%	熟悉
	2. 加工制作及安装工艺 20%	(1) 对各类装饰装修金属材料进行冷、热加工	4%	掌握
		(2) 根据各类金属的加工性能及金属构件的受力状况，确定其焊接、铆接、螺栓连接工艺	4%	掌握
		(3) 利用手工、专用设备，采取铸、锻、焊、烤等各种工艺方法对复杂、异形金属花格、花饰进行制作并进行安装	4%	掌握
		(4) 与金属装饰构件有关的密封、保温、绝缘、防雷电等技术操作工艺	3%	掌握
		(5) 高空作业的方法及质量、安全保障措施	2%	熟悉
		(6) 采光屋顶、招牌门面等金属构件的高空施工安装	3%	掌握

续表

项目	鉴定范围	鉴定内容	鉴定比重	备注
操作技能70%	3. 技术难点示范及指导18%	(1) 特殊、复杂构件的安装示范与指导	4%	掌握
		(2) 解决操作技术难题	2%	了解
		(3) 解决上、下垂直交叉施工中的技术与安全问题	2%	了解
		(4) 新材料、新工艺、新技术、新设备的推广与使用	4%	掌握
		(5) 绘制简单施工安装图及节点大样图	2%	熟悉
		(6) 对初级工、中级工进行技术指导与培训	4%	掌握
	4. 施工组织与管理12%	(1) 参与编制有关工程的施工组织设计	2%	掌握
		(2) 参与制定施工现场管理的各项规章制度	2%	掌握
		(3) 确定施工方案	2%	熟悉
		(4) 合理组织施工并进行施工现场管理	4%	掌握
		(5) 工料计算分析	2%	了解
工具设备使用与维修15%	1. 工具使用与维修5%	(1) 指导各类金属加工机具及设备的安全使用与维修	5%	掌握
	2. 检测工具10%	(1) 各种检验工具的使用与保养	5%	掌握
		(2) 各种测量仪器的使用与保养	5%	掌握
安全及其他15%	1. 安全10%	(1) 参与制定安全施工措施	4%	掌握
		(2) 参与制定高空作业及施工现场用电安全措施	3%	掌握
		(3) 参与制定防止触电、机械伤害的自我保护措施	3%	掌握
	2. 文明施工等5%	(1) 参与制定成品、半成品保护措施	2%	掌握
		(2) 工完场清，文明施工	1%	掌握
		(3) 实施并完善施工现场管理的各项规章制度	2%	掌握

（二）技能鉴定试题范例

理论部分（共100分）

1. 是非题（对的打"√"，错的打"×"，每题1分，共25分）

（1）根据合金元素的含量不同，合金钢可分为低合金钢、中合金钢、高合金钢。（ ）

（2）化学成分、力学性能和工艺性能是国家标准规定的对碳素钢的技术要求指标。（ ）

（3）铬在钢材中的含量越高，说明钢的抗蚀性能越好。（ ）

（4）钢材的屈服点对应的是应力-应变图中的B上点。（ ）

（5）钢材的疲劳极限，不仅与其内部组织有关，同时也与其表面质量有关。（ ）

（6）在纯铝中加入其他元素而形成的铝合金，虽保持质量较轻的优点，但其机械性能有明显的下降。（ ）

（7）按焊条药皮类型，焊条可分为酸性和碱性焊条二种。（ ）

（8）高合金硬铝虽具有强度和硬度较高的特点，但其塑性和抗蚀性较差。（ ）

（9）全面质量管理就是对全行业的全体人员进行质量管理。（ ）

（10）按电焊焊渣特性来分类，焊条有酸性和碱性两种。（ ）

（11）施工前的图纸会审，一般由甲方召集，业主、设计、施工等单位有关人员参加，会后形成由甲方起草共同签字的"会审备忘录"。（ ）

(12) 针对一个建筑物的施工组织设计叫做单位工程施工组织设计。 ( )

(13) 在艺术吊顶中，反光灯槽平顶与发光平顶的构造做法不同之处是发光源是否直接与间接地照明整个室内空间。 ( )

(14) 施工中的脚手架，可以作为支撑模板的支承点。 ( )

(15) 工人在外脚手架上操作时，材料、工具等物不可斜靠在墙上，应该直接放置在脚手架上。 ( )

(16) 施工平面布置图是由建设单位或由设计单位编制而成的。 ( )

(17) 据国家标准规定，低合金高强度钢编号中，应包含屈服点字母、屈服点数值和质量等级。 ( )

(18) 在轻钢龙骨中，主龙骨又称为承重龙骨。( )

(19) 顶棚轻钢龙骨，据承载能力的大小可分为主龙骨和次龙骨。 ( )

(20) 建筑装饰装修钢材力学性质的主要指标是屈服强度和抗拉强度。 ( )

(21) 具有光反射能力强、质轻、高强、抗振、防火、防潮、隔热、保温、耐腐蚀等优良性能的装饰板是铝合金波纹板。 ( )

(22) 具有坚硬、抗弯优良性能的钉子是自攻螺钉。 ( )

(23) 应用最广的国产焊条直径为3.2～5mm。 ( )

(24) 房屋中围护结构不作承重结构，因为围护结构的材料力学性能差。 ( )

(25) 对于所有的分项工程，都要做好隐蔽工程验收工

作，只有这样，才能确保施工质量。 （ ）

2.选择题（把正确答案的序号填在各题括号内，每题1分，共25分）

(1) 合金元素含量小于（ ）为低合金钢。

A.5% B.6% C.7% D.8%

(2) 钢的强度越大，说明钢含碳量越（ ）。

A.低 B.高 C.中等 D.最低

(3) Q235-AF号沸腾碳素结构钢的含碳量是（ ）。

A.0.12%～0.2% B.0.13%～0.21%

C.0.14%～0.22% D.0.15%～0.23%

(4) 碳含量小于（ ）为低碳钢。

A.0.2% B.0.23% C.0.25% D.0.26%

(5) 彩色不锈钢板的色彩能耐（ ）℃的温度不变色。

A.100 B.200 C.250 D.300

(6) 具有良好可加工性的彩色不锈钢板，当弯曲( )度时彩色层不会损坏。

A.60 B.70 C.80 D.90

(7) 由轻钢龙骨和2～4层石膏板组成的隔断，其耐火极限可达（ ）h。

A.1.0～1.6 B.1.2～1.8

C.1.5～2.0 D.2.0～2.5

(8) 施工技术水平一般的工人，每工日可完成隔断( )m^2。

A.1.5～2.0 B.2.0～2.5

C.2.5～3.5 D.3.5～4.0

(9) 据静荷载试验，吊顶轻钢次龙骨的最大挠度不大于

(　　) mm。

A.5　　B.7　　C.9　　D.10

(10) Q75 系列以下的轻钢龙骨，用于层高（　　）m 以下的隔墙。

A.2.8　　B.3.0　　C.3.5　　D.4.0

(11) 焊心牌号中带字母 A 者，其磷和硫的含量均不能超过（　　）。

A.0.01%　　B.0.02%　　C.0.03%　　D.0.04%

(12) 含碳量大于（　　）的铁碳合金称为铁。

A.2.06%　　B.2.1%　　C.2.5%　　D.3%

(13) 推拉铝合金窗的代号为（　　）。

A.PLC　　B.XLC　　C.ILC　　D.TLC

(14) 具有计划任务书和总体设计，经济上实行独立核算，行政上具有独立组织形式的基本建设单位（如一个学校，一个工厂）这叫做（　　）。

A. 建设项目　　B. 单项工程

C. 单位工程　　D. 分部工程

(15) 全面质量管理的工作程序是（　　）。

A. 设计、施工、验收、评比

B. 布置任务、熟悉图纸、施工操作、结算验收

C. 计划、实施、检查、处理

D. 学习、订计划、做记录、评比

(16) 全面质量管理的基本特点是（　　）。

A. 全民性、全面性、严格性、服务性、开放性

B. 全员性、全面性、预防性、服务性、科学性

C. 全民性、社会性、严格性、强制性、科学性

D. 全民性、社会性、预防性、强制性、开放性

(17) 施工组织设计中，考虑施工顺序时的“四先四后”是指（　　）。

A. 先地下后地上，先主体后围护，先结构后装饰，先土建后设备

B. 先上后下，先算后做，先进料后施工，先安全后生产

C. 先地上后地下，先围护后主体，先装饰后结构，先设备后土建

D. 先地下结构后地上围护，先土建主体后装饰设备

(18) 单位工程施工进度计划主要是反映了（　　）。

A. 各分项工程的具体工作内容和工程量

B. 各分项工程的计划工作天数

C. 各分项工程的施工工作日期

D. 各分项工程的内容和数量，整个工程的进度日程

(19) 按（　　）编制的文件，叫做概算。

A. 工程综合概算定额　　B. 预算定额

C. 施工预算定额　　D. 框算定额

(20) 工程竣工后，根据（　　）和施工实际情况编制的文件，叫做竣工结算。

A. 工程综合概算定额　　B. 预算定额

C. 施工预算定额　　D. 框算定额

(21) 施工图预算中的直接费，是指（　　）。

A. 人工费与材料费

B. 直接耗用在建筑工程上的各项费用

C. 组织和管理施工中所发生的费用

D. 上交税金和法定利润

(22) 我国规范规定混凝土强度等级用边长为____的立

方体抗压强度标准值确定。

A.40×40×160（mm）

B.150×150×150（mm）

C.200×200×200（mm）

D.53×115×240（mm）

(23) 钢筋按其强度大小可分为____钢筋等级数。

A.1 到 4 级　　　　B. Ⅰ至Ⅳ级

C. 一至四级　　　　D. 光面与变形

(24) 全面质量管理的工作程序中，推动 PDCA 循环，关键在____。

A.P 阶段　B.D 阶段　C.C 阶段　D.A 阶段

(25) 从某一全面质量管理的排列图中，根据以下数据可确定产品质量的 A 类因素指标为____。

A. 累计百分比 90%，因素有 4 个

B. 累计百分比 85%，因素有 3 个

C. 累计百分比 80%，因素有 2 个

D. 累计百分比 65%，因素有 1 个

3. 计算题（每题 10 分，共 20 分）

(1) 某钢窗安装检测后，发现不合格的原因与数量如下：窗框与墙体间缝隙填嵌不对 5 樘，窗框正侧面垂直度建标 14 樘，窗框水平度建标 16 樘，附件安装不合格 10 樘，框对角线长度差不合格 8 樘，其他原因 3 樘，画出产品质量不合格的排列表。

(2) 某一根钢筋混凝土简支梁的混凝土设计强度为 $11N/mm^2$，断面为 200mm×500mm，配置 3 Φ 20 的受力筋，钢筋的设计强度为 $300N/mm^2$，计算跨度为 5.7m，试求最大的承受弯矩能力。

4. 简答题（每题5分，共30分）

（1）据国家标准规定，碳素结构钢的牌号中应包含哪些方面的内容？

（2）试述钢结构防腐处理的方法。

（3）塑料门窗框与墙体的连接固定有哪些方法？

（4）班组核算有哪些主要内容？

（5）分析出现质量问题时，应该从哪几个方面去分析原因？

（6）什么叫做平行流水作业和主体交叉作业？有什么意义？

实际操作部分（共100分）

1. 题目：广告牌钢骨架

2. 考核项目及评分标准

序号	考核项目	检查方法	测量	允许偏差	评分标准	满分	得分
1	型钢材质规格	观察、合格证	任意		不符合要求每点扣3分	10	
2	型钢连接方法正确、牢固	观察	任意		不符合要求每点扣3分	15	
3	招牌固定牢固	观察	任意		不符合要求每点扣3分	15	
4	防锈、防腐处理	观察	任意		不符合要求每点扣3分	10	
5	形体准确、表面平整	尺量	任意	3mm	不符合要求每点扣3分	10	
6	工艺操作规程				错误无分，局部错误扣1~9分	10	

续表

序号	考核项目	检查方法	测量	允许偏差	评分标准	满分	得分
7	安全生产				有事故无分，有事故隐患扣1~4分	10	
8	文明施工				工完料不清扣5分	10	
9	工效				低于定额90%无分，在90%~100%之间酌情扣分，超过定额者，酌情加1~3分	10	

四、金属工技师

（一）技能鉴定规范的内容

项目	鉴定范围	鉴定内容	鉴定比重	备注
知识要求			100%	
基本知识 30%	1．制图 15%	（1）相关专业复杂的工程施工图、各类详图及金属工程制作与安装施工图、锚固位置图	5%	掌握
		（2）绘制金属工程制作与安装施工图及有关节点连接大样图	5%	掌握
		（3）设计简单工装并绘制相应的装饰装修施工图	5%	掌握
	2．图纸会审及施工组织设计 15%	（1）参加图纸会审，并就图纸中存在的问题提出处理、改进意见	3%	掌握
		（2）整理图纸会审记录并提供反馈意见	3%	掌握
		（3）编制工程施工组织设计的有关知识	3%	掌握
		（4）施工现场管理的各项规章制度	3%	掌握
		（5）参加施工方案的审核并提出合理意见	3%	掌握

续表

项目	鉴定范围	鉴定内容	鉴定比重	备注
专业知识45%	1. 材料17%	(1) 建筑装饰装修常用金属材料的识别及外观质量判别	4%	掌握
		(2) 新材料、新工艺、新技术、新设备的推广与使用	4%	掌握
		(3) 及时了解新材料、新工艺、新技术、新设备的信息	3%	掌握
		(4) 新材料的试验方法及保管方法	3%	掌握
		(5) 制定成品及半成品材料保护措施	3%	掌握
	2. 施工操作知识16%	(1) 彩色涂层钢板、彩色不锈钢板、薄板不锈钢钣金成型	4%	掌握
		(2) 较复杂的自制辅助工具的设计与制作	4%	掌握
		(3) 室内外金属装饰物的制作	4%	掌握
		(4) 对初级工、中级工、高级工进行相关施工操作方法及技术指导与培训	4%	掌握
	3. 施工工艺12%	(1) 预埋件、后置埋件的拉拔力试验	3%	掌握
		(2) 施工质量的检验与评定	3%	掌握
		(3) 根据工艺结构的特点进行工艺设计	3%	掌握
		(4) 对初级工、中级工、高级工进行相关施工工艺指导与培训	3%	掌握

续表

项目	鉴定范围	鉴定内容	鉴定比重	备注
相关知识25%	1. 常用设备4%	各种切割、打磨等金属加工安装设备管理、维修及保养	4%	掌握
	2. 计算机知识6%	(1) 使用计算机进行文字处理	4%	掌握
		(2) 使用计算机绘制简单的装饰装修工程施工图及详图	2%	了解
	3. 质量、安全与管理知识15%	(1) 相关专业的技术规范（高空作业、防雷电等）	2%	掌握
		(2) 施工方案的编写及技术总结的撰写方法	3%	掌握
		(3) 参与制定质量与安全事故的预防技术措施	2%	掌握
		(4) 编制施工工艺卡	3%	掌握
		(5) 制定岗位责任制度	3%	掌握
		(6) 工程招标投标知识	2%	掌握
操作技能74%	1. 质量检验9%	(1) 工程施工质量的检验与评定	5%	掌握
		(2) 预埋件、后置埋件的拉拔力试验	4%	掌握
	2. 加工制作及安装工艺20%	(1) 参与制定高空作业的方法及质量、安全保障措施	4%	掌握
		(2) 彩色涂层钢板、彩色不锈钢板、薄板不锈钢钣金成型加工	4%	掌握
		(3) 室内外金属装饰物的制作	4%	掌握
		(4) 较复杂的自制辅助工具的设计与制作	4%	掌握
		(5) 根据工艺结构的特点进行工艺设计	4%	掌握

续表

项目	鉴定范围	鉴定内容	鉴定比重	备注
操作技能74%	3．技术难点示范及指导20%	（1）解决操作技术难题	4%	掌握
		（2）解决上、下垂直交叉施工中的技术与安全问题	4%	掌握
		（3）绘制金属工程施工安装图及节点大样图	4%	掌握
		（4）提出技术疑难问题的解决方案	4%	掌握
		（5）对初级工、中级工、高级工进行技术指导与培训	4%	掌握
	4．施工组织与管理25%	（1）参与编制有关工程的施工组织设计	3%	掌握
		（2）进行工料计算分析	4%	掌握
		（3）参与制定施工操作规程及施工现场管理的各项规章制度	3%	掌握
		（4）确定施工方案并进行施工技术管理	4%	掌握
		（5）撰写技术总结	4%	掌握
		（6）参与编制投标报价并提供成本分析资料	4%	掌握
		（7）编制施工工艺卡并制定岗位责任制度	3%	掌握
工具设备5%	工具管理、维修与保养5%	各种切割、打磨等金属加工安装设备的管理、维修及保养	5%	掌握
计算机6%	计算机应用6%	（1）运用计算机进行文字处理	4%	掌握
		（2）使用计算机绘制简单的装饰装修工程施工图及详图	2%	了解

续表

项目	鉴定范围	鉴定内容	鉴定比重	备注
安全及其他 15%	1. 安全 10%	(1) 参与制定安全施工措施并监督实施	4%	掌握
		(2) 参与制定高空作业及施工现场用电安全措施并监督实施	3%	掌握
		(3) 参与制定防止触电、机械伤害的自我保护措施并监督实施	3%	掌握
	2. 文明施工等 5%	(1) 制定并完善施工现场管理的各项规章制度	4%	掌握
		(2) 工完场清，文明施工	1%	掌握

(二) 技能鉴定试题范例

理论部分（共 100 分）

1. 是非题（对的打“√”，错的打“×”，每题 1 分，共 25 分）

(1) 顶棚轻钢龙骨据承载能力的大小，分为上人和不上人吊顶。 ( )

(2) 装饰钢材抗拉性能变化的四个阶段是：弹性、屈服、强化和颈缩阶段。 ( )

(3) Q215 号钢材经冷加工处理后可代替 Q235 号钢材使用。 ( )

(4) 钢的铬含量越高，其抗腐蚀性能越低。 ( )

(5) 随时间延长强度提高而塑性和韧性下降的现象称为钢材的时效。 ( )

(6) 因时效而导致性能改变的过程，称为钢材的时效敏感性。 ( )

(7) 钢材的疲劳极限与内部组织和表面质量均有关。

( )

(8) 在铝合金液中加入纳盐混合物是为了提高铸造铝的强度和塑性。 ( )

(9) 建筑施工中所用的图纸，都叫施工图。 ( )

(10) 全面质量管理就是对全行业的全体人员进行质量管理。 ( )

(11) 建筑中的变形缝就是伸缩缝、沉降缝、防震缝。

( )

(12) 工人在外脚手架上操作时，材料、工具等物不可斜靠在墙上，应该直接放置在脚手架上。 ( )

(13) 因果图中用方框框起来的原因，是表示影响质量问题的主要原因，作为指定质量改进措施的重点考虑对象。

( )

(14) 审核图纸主要是为了发现图纸上的错误。 ( )

(15) 针对一个分项工程一个工艺步骤的施工组织设计，叫做施工组织总设计。 ( )

(16) 施工组织设计中的施工平面图，是进行施工现场布置的依据。 ( )

(17) 在艺术吊顶中，反光灯槽平顶与发光平顶的构造做法不同之处是发光源是否直接与间接地照明整个室内空间。 ( )

(18) 同一旋转楼梯的踏步，其内外踏步三角是相似的。

( )

(19) 外墙脚手架的操作高度超过三层时，应加设安全网。 ( )

(20) 手电钻有单速、双速、四速和无级调速等种类，

其规格以钻孔直径表示。 ( )

(21) 铣床正常走刀时，不得停车，铣深槽时应先停车后退刀。 ( )

(22) 在焊接过程中，转移工作地点搬动焊机时，电源无须切断。 ( )

(23) 在进行建筑装饰装修工程施工的过程中，当遇到主体结构的变动或承重墙体拆除时，可由施工单位视具体情况自行处理。 ( )

(24) 建筑装饰装修设计必须符合城市规划、消防、环保、节能等有关规定。 ( )

(25) 高空焊接或切割时，必须挂好安全带，焊件周围和下方应采取防火措施并有专人监护。 ( )

2. 选择题（把正确答案的序号填在各题横线上，每题1分，共25分）

(1) 铁是含碳量大于____的铁碳合金。

A.2.02% B.2.04% C.2.06% D.2.08%

(2) 钢是含碳量小于____的铁碳合金。

A.2.03% B.2.06% C.2.09% D.2.12%

(3) 具有良好可加工性的彩色不锈钢板，当弯曲____度时彩色层不损坏。

A.70 B.80 C.90 D.100

(4) 在120℃的烘箱连续加热____ h后，彩色涂层钢板的涂层光泽和颜色不变。

A.120 B.90 C.60 D.48

(5) 吊顶轻钢次龙骨的最大挠度不大于____ mm时，满足试验要求。

A.6 B.8 C.10 D.12

(6) 据单层石膏板隔墙的规格要求，其墙厚一般为____mm。

A.90　B.60　C.65　D.70

(7) 据轻钢龙骨超高墙的规格要求，其墙厚一般为____m。

A.5　B.6　C.7　D.8

(8) 常用低碳钢的屈服点是____ MPa。

A.160～220　B.180～230

C.185～235　D.190～240

(9) 平开铝合金门的代号为____。

A.TLC　B.SLC　C.PLC　D.CLC

(10) 铝合金浅花纹板对白光的反射率可达____。

A.60%～80%　B.70%～80%

C.70%～90%　D.75%～90%

(11) 旋转楼梯的扶手断面为矩形，则扶手标准段的左右两侧弯曲为____。

A. 相同　B. 相似

C. 不同　D. 部分相同，部分不同

(12) 对于高层建筑或玻璃幕墙的立面垂直定位放线测试中，一般采用经纬仪，其测试时间应考虑在____，就能得到比较好的精度水平。

A. 早上八点，风力在二级以下

B. 早上八点，风力在六级以下

C. 下午一点，风力在六级以下

D. 下午一点，风力在二级以下

(13) 为防止房屋在正常使用条件下，因温度而使墙体引起竖向裂缝，为此而在墙体中设置____。

A. 沉降缝　　　　　　　　B. 防震缝

C. 温度伸缩缝　　　　　　D. 构造柱

(14) 强度等级为 32.5 级的普通水泥 28d 达到的抗压强度为____。

A.25MPa　B.32.5MPa　C.325MPa　D.400MPa

(15) 材料的强度，是指材料的____。

A. 强弱程度　　　　　　　B. 软硬程度

C. 抵抗外力破坏的能力　　D. 耐磨耗的性能

(16) 质量检验评定分项工程一般按____划分。

A. 建筑的主要部位　　　　B. 主要工种工程

C. 单位工程　　　　　　　D. 操作岗位

(17) 劳动定额中时间定额和产量定额的关系是____。

A. 相加为 1　　　　　　　B. 互为倒数

C. 相乘为零　　　　　　　D. 相互无关

(18) 按____编制的文件，叫做施工预算。

A. 工程综合概算定额　　　B. 预算定额

C. 施工定额　　　　　　　D. 框算定额

(19) 施工图预算中的直接费，是指____。

A. 人工费与材料费

B. 直接耗用在建筑工程上的各项费用

C. 组织和管理施工中所发生的费用

D. 上交税金和法定利润

(20) 施工图预算中，____划为直接费中。

A. 直接耗用在工程上的材料费

B. 临时设计费

C. 企业管理人员的工资奖金

D. 法定利润

(21) 因工程特殊必须在冬期施工，故增加了一笔冬期施工设施装配费。在竣工结算时此费应列入____。

A. 直接费　　　　　　　B. 其他直接费

C. 管理费　　　　　　　D. 独立费

(22) 按建筑工程的主要施工方法、不同的规格、不同的材料划分的项目，叫做____。

A. 建设项目　　　　　　B. 单项工程

C. 单位工程　　　　　　D. 分项工程

(23) 建筑物上的保温构造层进行隔气防潮处理，其主要作用是____。

A. 加强保温性能，提高保温效果

B. 防止水、汽进入保温层后因受潮而使保温性能下降

C. 改善视觉环境，增加美观效果

D. 防止表面结露

(24) 保温隔热构造层中，应该采用____材料做成。

A. 比热大　　　　　　　B. 导热系数大

C. 导热系数小　　　　　D. 热容量大

(25) 在焊条牌子中，不锈钢焊条用____字母表示。

A.B　　　　B.C　　　　C.D　　　　D.A

3. 计算题（20 分）

(1) 已知混凝土矩形截面尺寸 $b \times h = 250\text{mm} \times 500\text{mm}$，采用 C20 混凝土，受压区配筋为 $3\phi18$（$A_s = 763\text{mm}^2$），求梁能承受的设计弯矩。

(2) 某装饰装修工程中楼梯栏杆为圆弧型竖条式不锈钢管栏杆，其工程量为 98m，试按全国统一建筑装饰装修工程消耗量定额（GYD-901-2002）确定完成该工程需消耗综合工日、不锈钢焊丝、不锈钢管（$\phi32 \times 1.5$）、不锈钢法兰盘

(ϕ59)、环氧树脂的数量。

4. 简答题（每题5分，共30分）

（1）装饰装修工程中，轻钢龙骨的主要技术指标要求包括哪些方面？

（2）什么叫做图纸的自审？自审的基本内容是什么？

（3）施工过程中怎样加强安全管理？

（4）班组的施工准备和技术交底各有哪些内容？

（5）建筑装饰装修施工组织设计有何重要作用？

（6）在建筑装饰装修工程全面施工阶段，应抓好哪几项工作？

实际操作部分（共100分）

1. 题目：门扇包不锈钢

2. 考核项目及评分标准

序号	考核项目	检查方法	测量	允许偏差	评分标准	满分	得分
1	选材：饰面板品种、规格、性能	观察、合格证	任意		不符合要求每点扣3分	10	
2	板材裁板下料	尺量	任意	1mm	不符合要求每点扣3分	10	
3	黏结材料选择	观察、合格证	任意		不符合要求每点扣3分	10	
4	板材黏结表面平整	观察、2m靠尺和楔形塞尺检查	任意	3mm	不符合要求每点扣2分	10	
5	板材黏结阴阳角方正	用200mm方尺检查	任意	3mm	不符合要求扣2分	10	
6	板材黏结接缝平直	拉5m线检查，不足5m拉通线检查		0.5mm	不符合要求扣2分	10	
7	板材粘贴接缝高低	用直尺和楔形塞尺检查		1mm	不符合要求扣2分	10	

续表

序号	考核项目	检查方法	测量	允许偏差	评分标准	满分	得分
8	工艺操作规程				错误无分，局部错误扣1～9分	10	
9	安全生产				有事故无分，有事故隐患扣1～4分	5	
10	文明施工				工完料不清扣5分	5	
11	工效				低于定额90%无分，在90%～100%之间酌情扣分，超过定额者，酌情加1～3分	10	

五、金属工高级技师

（一）技能鉴定规范的内容

项目	鉴定范围	鉴定内容	鉴定比重	备注
知识要求			**100%**	
基本知识30%	1. 制图10%	（1）绘制金属工程制作与安装施工图及有关节点连接大样图	5%	掌握
		（2）根据室内外装饰装修设计绘制相应的装饰装修施工图	5%	掌握
	2. 图纸会审及施工组织设计20%	（1）参加图纸会审，并就图纸中存在的问题提出处理、改进意见	3%	掌握
		（2）施工工艺及施工技术交底	3%	掌握
		（3）金属装饰装修工程施工组织原则及组织方法	3%	掌握
		（4）相关工种的基础知识	3%	掌握
		（5）施工进度计划的编制与控制原则	3%	掌握
		（6）施工组织与管理知识	3%	掌握
		（7）各种规章制度	2%	掌握

续表

项目	鉴定范围	鉴定内容	鉴定比重	备注
专业知识45%	1. 材料15%	(1) 新材料、新工艺、新技术、新设备的应用方案	5%	掌握
		(2) 各种金属装饰装修材料的性能及选用原则	5%	掌握
		(3) 制定新材料的试验方法及保管方法	5%	掌握
	2. 施工操作知识15%	(1) 各种金属装饰装修材料的冷热加工方法及工艺	5%	掌握
		(2) 室内外一般金属雕塑的制作	5%	掌握
		(3) 对初级工、中级工、高级工、技师进行相关施工操作方法及技术指导与培训	5%	掌握
	3. 施工工艺15%	(1) 预埋件、后置埋件的拉拔力试验方案	3%	掌握
		(2) 建筑装饰装修结构设计基本原理	4%	掌握
		(3) 与相关工种间的技术协调	4%	掌握
		(4) 对初级工、中级工、高级工、技师进行相关施工工艺指导与培训	4%	掌握
相关知识25%	1. 新设备4%	新设备的使用与维护	4%	掌握
	2. 计算机知识6%	(1) 使用计算机进行文字处理	3%	熟练
		(2) 使用计算机绘制建筑装饰装修工程施工图及详图	3%	掌握
	3. 质量、安全与管理知识15%	(1) 制定质量与安全事故的预防技术措施	3%	掌握
		(2) 本工种的全面质量控制	3%	掌握
		(3) 施工组织与管理	3%	掌握
		(4) 处理解决本工种的工程质量事故难题	3%	掌握
		(5) 材料、人工、设备的调配及选用方案	3%	掌握

续表

项目	鉴定范围	鉴定内容	鉴定比重	备注
操作要求			100%	
操作技能73%	1. 质量控制12%	(1) 全面控制本工种的工程施工质量	4%	掌握
		(2) 处理解决本工种的工程质量事故难题	4%	掌握
		(3) 隐蔽工程的质量控制及质量验收	4%	掌握
	2. 加工制作及安装工艺16%	(1) 室内外一般金属雕塑的制作	3%	掌握
		(2) 各种金属装饰装修材料的冷、热加工工艺	3%	掌握
		(3) 金属装饰装修工程的施工工艺设计	3%	掌握
		(4) 金属装饰装修工程的结构设计	3%	掌握
		(5) 金属装饰装修工程的加工制作及安装工艺指导	4%	掌握
	3. 技术难点示范及指导20%	(1) 制定施工工艺及技术疑难问题的解决方案	4%	掌握
		(2) 解决施工工艺及技术难题	4%	掌握
		(3) 提出工艺设计方案	4%	掌握
		(4) 绘制本工种的工程制作安装图	4%	掌握
		(5) 对初级工、中级工、高级工、技师进行技术指导与培训	4%	掌握
	4. 施工组织与管理25%	(1) 编制有关工程的施工组织设计	3%	掌握
		(2) 制定材料、人工、设备的调配及选用方案	3%	掌握
		(3) 制定本工种的施工进度方案	3%	掌握
		(4) 对施工现场的技术、质量、进度进行全面的控制与管理	4%	掌握
		(5) 制定施工现场的质量管理与控制措施	3%	掌握
		(6) 参与编制投标报价并提供成本分析资料	3%	掌握
		(7) 主持班前例会并进行施工技术交底	3%	掌握
		(8) 制定施工操作规程及施工现场管理的各项规章制度	3%	掌握

续表

项目	鉴定范围	鉴 定 内 容	鉴定比重	备注
工具设备6%	工具管理、维修与保养6%	(1) 制定各种切割、打磨等金属加工安装设备的管理、维修及保养方案	3%	掌握
		(2) 新设备的使用与维护	3%	掌握
计算机6%	计算机应用6%	(1) 运用计算机进行文字处理	2%	熟练
		(2) 使用计算机绘制装饰装修工程施工图及详图	4%	掌握
安全及其他15%	1. 安全10%	(1) 参与制定安全施工措施并监督实施	3%	掌握
		(2) 参与制定高空作业及施工现场用电安全措施并监督实施	3%	掌握
		(3) 施工现场的安全管理与控制	4%	掌握
	2. 文明施工等5%	(1) 制定并完善施工现场管理的各项规章制度	2%	掌握
		(2) 参与制定文明施工措施与方案并参与工程的竣工验收	3%	掌握

(二) 技能鉴定试题范例

理论部分 (共100分)

1. 是非题 (对的打"√",错的打"×",每题1分,共25分)

(1) 沸腾钢是在钢液冷却时有大量一氧化碳外逸,引起钢液激烈沸腾而得名。 ( )

(2) 镇静钢是建筑工程中首选的优质钢材。 ( )

(3) 强度低、塑性大、受力后变形也大的钢材是Q215

钢材。（ ）

（4）装饰装修工程中采用低合金高强度结构钢的主要目的是减轻结构的重量和提高使用寿命。（ ）

（5）钢材的冷弯性能不仅表明钢材的弯曲变形能力，也表明钢材的工艺性能。（ ）

（6）试件弯曲处，不裂缝、不断裂、不起层是冷弯性能合格的钢材。（ ）

（7）“电解着色”铝合金是目前国际上各方面性能均比较好的装饰性铝合金。（ ）

（8）要求塑性好，冲击韧性高，抗裂能力强或低温性能好的结构，一般选用碱性焊条。（ ）

（9）建筑装饰装修工程施工任务的承接方式，同土建工程一样有两种：一种是通过招标投标承接，一种是由建设单位委托施工单位承接。目前，应用最广泛的是前一种。

（ ）

（10）建筑装饰装修工程施工准备工作的主要目的，是为全面施工创造良好的环境和条件，确保整个建筑装饰装修工程施工的顺利进行。（ ）

（11）直接在施工现场与工程对象上进行的施工过程，可以划入流水施工过程，而场外的施工内容（如零配件的加工）可以不划入流水施工过程。（ ）

（12）流水步距的大小，反映着流水作业的紧凑程度，对工期起着很大的影响。在流水段不变的条件下，流水步距越大，工期越短，流水步距越小，则工期越长。（ ）

（13）横道计划是结合时间坐标线，用一系列水平线段分别表示各施工过程的施工起止时间及其先后顺序的。

（ ）

(14) 网络计划是由一系列箭杆线和节点所组成的网状图形来表示各施工过程先后顺序的逻辑关系的。（ ）

(15) 事件的最早可能开始时间，表明该事件紧前工作全部完成的时间，也反映该事件紧后工作的可能开始。

（ ）

(16) 时标网络计划既明确表达了横道计划中各施工过程之间的逻辑关系，又直观地表达了网络计划的时间。

（ ）

(17) 投标的策略主要体现在建筑装饰装修工程质量上。

（ ）

(18) 在合同履行中，发生争议或纠纷时，合同双方应主动协商，本着实事求是的原则，尽量求得合理解决。如协商不成，任何一方均可向合同约定的仲裁机构申请调解仲裁。若调解无效、仲裁不服，可向经济法院提出诉讼、裁决。（ ）

(19) 型材切割机开动后，应首先注意砂轮片旋转方向是否与保护罩上标注的方向一致，如不一致，应立即停车，调换插头中配电电源线。（ ）

(20) 建筑装饰装修工程中所使用的材料、成品、半成品等，如果为进口材料只需按规定进行商品检验即可，其说明书可为中文、英文等任何文字。（ ）

(21) 无论任何情况，工程中所使用的装饰装修材料，只需有产品合格证、中文说明及相关性能的检测报告即可，无需进行见证检测。（ ）

(22) 工作线反映施工过程（工人操作、机械布置）在空间上布置的可能性。（ ）

(23) 在钢材的锈蚀破坏中，化学腐蚀是一种难以避免

的腐蚀。（ ）

(24) 由于装饰装修工程的工艺比较复杂，施工难度也比较大，因此在施工前必须明确主要施工目的。（ ）

(25) 建筑装饰装修工程施工的施工条件与物资准备，主要是为建筑装饰装修工程全面施工创造良好的施工条件和物质保证。

2. 选择题（把正确答案的序号填在各题横线上，每题 1 分，共 25 分）

(1) 钢的含碳量高，说明钢的强度________。

A. 小　B. 大　C. 中等　D. 最低

(2) 用低合金高强度结构钢代替普通碳素钢，可节约钢材________。

A. 10%～15%　B. 15%～20%

C. 20%～25%　D. 20%～30%

(3) 钢材的疲劳破坏主要是由________引起的。

A. 拉应力　B. 压应力

C. 剪应力　D. 拉压应力共同作用

(4) 在阳极氧化的方法中，________应用最广。

A. 草酸法　B. 醋酸法

C. 铬酸法　D. 硫酸法

(5) 彩色涂层钢板具有很好的耐沸水性，在沸水中浸泡________min 后，表面光泽和颜色不变。

A. 60　B. 90　C. 100　D. 120

(6) 铝合金浅花纹板比普通钢板的强度大________。

A. 10%　B. 15%　C. 20%　D. 25%

(7) 选择正确的________，是建筑装饰装修工程施工组织设计的关键。

A. 施工方法　　　　　　B. 施工方案

C. 施工项目　　　　　　D. 施工平面图

(8) 对于外墙装饰装修工程，应在结构工程完成后________地进行。

A. 自上而下　　　　　　B. 自下而上

C. 从左到右　　　　　　D. 从右到左

(9) 流水步距的数目，取决于参加流水施工的施工过程数。如果施工过程数为 n，则流水步距的总数为________。

A. n　　　　　　B. $n+1$

C. $n-1$　　　　　　D. $n-2$

(10) 当建筑装饰装修工程的施工对象有层高关系，分段又分层时，每一层的最少施工段数 m_0 与施工过程数 n 应满足________。

A. $m_0 \leqslant n$　　　　　　B. $m_0 \geqslant n$

C. $m_0 > n$　　　　　　D. $m_0 < n$

(11) 在网络图中，箭杆线应保持________的方向。

A. 从左到右　　　　　　B. 从右到左

C. 从上到下　　　　　　D. 从下到上

(12) 在实际工作中，常用________表示阶段性目标的完成时间。

A. 结束事件　　　　　　B. 中间事件

C. 起点事件　　　　　　D. 终点事件

(13) 单位建筑装饰装修工程施工组织设计一般是由________组织有关人员进行编制的。

A. 施工总包单位工程师

B. 该工程主管工程师

C. 施工总包单位总工程师

D. 施工技术员

(14) 对于外墙装饰，可采用________的施工流向；对于内墙装饰，可采用________的施工流向。

A. 自上而下

B. 自下而上

C. 自中而下再自上而中

D. 自上而中再自下而中

(15) ________多用于有把握的建筑装饰装修工程。

A. 总价不变合同　　　　B. 单价合同

C. 成本加酬金合同　　　D. 统包合同

(16) 建筑装饰装修企业计划管理的基本工作，主要有________。

A. 定额工作　　　　B. 原始记录

C. 统计工作　　　　D. 质量检查

(17) 建筑装饰装修工程施工预算是以每一个________为对象而编制的。

A. 分部工程　　　　B. 分项工程

C. 施工单位　　　　D. 装饰工程

(18) 建筑装饰装修工程施工的最佳方法是________。

A. 依次施工　　　　B. 平行施工

C. 流水施工　　　　D. 顺序施工

(19) 焊芯牌号中带“A”字母者，其硫和磷的含量均不能超过________。

A.0.02%　　　　B.0.03%

C.0.04%　　　　D.0.05%

(20) 建筑装饰装修工程组织设计，是一个________。

A. 综合性文件　　　　B. 承包合同

C. 施工计划方案　　　　　D. 投标书

(21) Q75 系列以上的轻钢龙骨，用于层高________m 的隔墙。

A.3～4　　　　　　　　B.3.5～5

C.3.5～6　　　　　　　D.3.5～7

(22) 常用低碳钢的屈服点是________MPa

A.160～220　　　　　　B.180～230

C.185～235　　　　　　D.190～240

(23) 具有良好的可加工性彩色不锈钢板，当弯曲到________时，彩色层不会损坏。

A.60°　　B.70°　　C.80°　　D.90°

(24) 具有良好的耐高温性能的彩色涂层钢板，在 120℃的烘箱内连续加热________h，涂层光泽和颜色不变。

A.48　　B.60　　C.80　　D.90

(25) Q235-AF 的沸腾碳素结构钢，碳的含量是________。

A.0.12%～0.20%　　　　B.0.13%～0.21%

C.0.14%～0.22%　　　　D.0.15%～0.23%

3. 计算题（20 分）

(1) 某室内顶棚采用装配式 U 型轻钢龙骨（不上人型）顶棚，龙骨间距为 450mm，形式为平面式，其工程量为 $1000m^2$，要求 10 天完成，其工程进展安排见表 3-1，试绘制该顶棚工程的 S 形曲线。

表 3-1

时间（天）	j	1	2	3	4	5	6	7	8	9	10	合计
每日完成量	q_j	2	6	10	14	18	18	14	10	6	2	100

（2）某商场一圆柱外包钛金板，其内部骨架为角钢骨架外包钢板基层。已知该柱柱高为 3.5m，柱的直径为 1000mm，试按全国统一建筑装饰装修工程消耗量定额（GYD-901-2002）确定完成该工程需消耗综合工日、角钢、钢板、钛金板、膨胀螺栓、射钉的数量。

4. 简答题（每题 5 分，共 30 分）

（1）简述阳极氧化的原理。

（2）建筑装饰装修施工组织设计有何重要作用？

（3）组织流水施工的必要条件是什么？

（4）在图上计算法中，网络图的时间参数有哪些？

（5）简述建筑装饰装修工程招标与投标程序。

（6）建筑装饰装修工程招标文件包括哪些内容？

实际操作部分（共 100 分）

1. 题目：涂色镀锌钢板门窗安装

2. 考核项目及评分标准

序号	考核项目	检查方法	测量	允许偏差	评分标准	满分	得分
1	门窗横框标高	用钢尺检查	4 个	5mm	按水平线安装，超过 0.5mm，每点扣 2 分	10	
2	门窗框与墙体间的缝合理	轻敲门窗框检查	任意		填嵌饱满，用密封胶密封，不符合要求每点扣 2 分	10	
3	门窗扇密封	观察、开启和关闭检查	任意		密封完好，不得脱槽，不符合要求每点扣 2 分	10	

续表

序号	考核项目	检查方法	测量	允许偏差	评分标准	满分	得分
4	门窗槽口对角线长度差	用钢尺检查	2个	≤2000 4mm >2000 5mm	每超过0.5mm,扣2分	10	
5	门窗槽口宽度、高度	用钢尺检查	4个	≤1500 2mm >1500 3mm	每超过0.5mm,扣2分	10	
6	门窗框正侧面垂直度	用垂直检测尺检查	4个	3mm	每超过0.5mm,扣2分	10	
7	门窗横框水平度	用1m水平尺和塞尺检查	任意	3mm	每超过0.5mm,扣2分	5	
8	门窗竖向偏离中心	用钢尺检查	任意	5mm	每超过0.5mm,扣2分	5	
9	工艺操作规程				错误无分,局部错误扣1～9分	10	
10	安全生产				有事故无分,有事故隐患扣1～4	5	
11	文明施工				工完料不清扣5分	5	
12	工效				低于定额90%无分,在90%～1005之间酌情扣分,超过定额者,酌情加1～3分	10	

第三部分
建筑装饰装修金属工技能鉴定试题库

第一章　金属工初级工

一、理论部分

（一）是非题（对的打“√”，错的打“×”）

1. 建筑装饰装修工程中常用的钢材是碳素结构钢和低合金高强度结构钢。（√）

2. 钢材按化学成分不同可分为碳素钢和合金钢。（√）

3. 钢材按冶炼炉种不同可分为平炉钢、氧气转炉钢、空气转炉钢和电炉钢。（√）

4. 用氧气转炉冶炼的钢质量最好。（×）

5. 平炉钢的主要燃料是煤和煤气。（×）

6. 钢的强度高低是由碳的含量高低决定的。（√）

7. 碳素钢是强度和韧性均较优良的钢材。（×）

8. 根据合金元素含量的不同，合金钢可分为低合金钢、中合金钢和高合金钢。（√）

9. 钢的铬含量越高，钢的抗腐蚀性能越好。（√）

10. 根据国家标准规定：低合金高强度结构钢的五个牌号是：Q295、Q345、Q390、Q420、Q460（√）

11. 彩色涂层钢板，据制作方法不同可分为一涂二烘和

一涂三烘两类产品。（×）

12. 硬铝合金又称为杜拉铝。（√）

13. 铝合金按加工方法不同，可以分为变形铝合金、铸造铝合金和装饰铝合金。（√）

14. 金属压力加工的挤压法可分为：正挤压、反挤压和正反联合挤压三种方法。（√）

15. 常用的铝材着色处理方法有自然着色法和电解着色法。（√）

16. 轻钢龙骨中的主龙骨又称为承重龙骨。（√）

17. 轻钢龙骨中的次龙骨又称为覆面龙骨。（√）

18. 隔断龙骨可分为竖龙骨、横龙骨和贯通龙骨。（×）

19. 隔墙轻钢龙骨的主件有沿地龙骨、竖向龙骨、加强龙骨和贯通龙骨。（√）

20. 顶棚轻钢龙骨据承载能力的大小可分为：上人吊顶和不上人吊顶。（√）

21. 铝合金门的种类有：平开门、推拉门、低弹簧门、折叠门、旋转门和卷帘门。（√）

22. 平开铝合金窗按开启方向可分为：外开窗和内开窗。（√）

23. 平开铝合金窗由窗框、窗扇和启闭构件组成。（×）

24. 平开铝合金窗按构造主要分为：带纱平开窗和滑轴平开窗两种。（×）

25. 平开铝合金窗的代号是：PLC（√）

26. 固定铝合金窗的代号是：CLC（×）

27. 立转铝合金窗的代号是：ILC（×）

28. 铝合金波纹板主要用于屋面和墙面装饰。（√）

29. 钢的冶炼方法有：湿法冶炼和干法冶炼。（√）

30. 水泥钢钉具有坚硬、抗弯的优良性能。 (√)

31. 装饰装修工程中常用的螺栓有铁螺栓和铝螺栓。 (×)

32. 自攻螺钉具有螺齿较深、螺距较宽、硬度高、直接钻孔和提高工效的特点。 (√)

33. 木螺钉按其用途可分为：沉头、半沉头和半圆头木螺钉。 (√)

34. 金属膨胀螺栓由底部锥形螺栓、膨胀套管、平垫圈、弹簧垫圈和螺母组成。 (√)

35. 电焊条由焊芯、夹层和药皮三部分组成。 (×)

36. 焊条的药皮其主要作用是保护焊芯。 (×)

37. 工程中应用最广的焊条是碳钢和低合金钢焊条。 (√)

38. 根据焊条药皮的类型，焊条可分为酸性和碱性焊条。 (√)

39. 当构件受力较简单、母材质量较好，一般用碱性焊条焊接。 (×)

40. 含碳量较高的钢材，厚度较大，形状复杂，一般选用酸性焊条焊接。 (×)

41. 国产焊条的最小直径是1.6mm。 (√)

42. 国产焊条的最大直径是8mm。 (√)

43. 工程中应用最广的焊条为32型焊条。 (×)

44. 铁碳合金中碳的含量大于2.06%称为钢。 (×)

45. 含碳量小于2.06%的铁碳合金称为钢。 (√)

46. 对于同一构件，用1:20的比例画出的图形比用1:50的比例画出的图形要大。 (√)

47. 对于同一构件，用1:20的比例画出的图形比用1:

10 的比例画出的图形要大。（×）

48. 用 1:2 比例画出的图，叫缩小比例的图形，用 2:1 比例画出的图，叫做扩大比例的图形。（√）

49. 用 1:50 比例画出的图，实际长为 2500mm，图形线长 50mm。（√）

50. 同一个图形，在特殊情况下，可以用两种比例，但必须详细注明尺寸。（√）

51. 在法定计量单位中，力的单位名称可以用重量的单位名称。（×）

52. 1 英寸为 25.4 毫米。（√）

53. 1 市尺为 0.3 米。（×）

54. 10 英寸为 1 英尺。（×）

55. 1 立方米为 1000 公升。（√）

56. 胶合板的层数可以是双数，也可以是单数。可根据市场上的情况选购不同的品种。（×）

57. 圆钉按其直径分为标准型和重型两种，重型的钉比标准型要粗一点。（√）

58. 粗制螺栓都是粗牙螺纹，精制螺栓都是精制螺纹。（×）

59. 粗制螺栓应配套用粗制螺母，精制螺栓应配套用精制螺母，不可相互代替。（√）

60. 平垫圈与弹簧垫圈的作用是不相同的，平垫圈是增加紧固力，防止松动，弹簧垫圈是增加接触面积，防止滑动。（×）

61. 圆锯片锯齿形状与锯割木材材质的软硬、进料速度、光洁度以及纵或横割等因素有密切关系。（√）

62. 圆锯片锯齿形状与锯割木材材质的软硬、光洁度以

及纵或横割等因素有关但对进料速度无关。（×）

63．圆锯片锯齿的尖角角度越大，则锯割能力较大，越适应于横锯硬质木材。（×）

64．为了加强安全操作，在平刨机上木材刨制加工时，应扎紧衣袖，戴好手套。（√）

65．一般的压刨机，木板的上、下两面可以通过二次刨削而制得平整合格的产品。（×）

66．钢窗的种类只有实腹和空腹两种。（√）

67．安装窗帘盒（箱）时，其下口不应低于窗扇上冒头边线，以确保采光面积。（√）

68．钢窗上的拉手、撑挡等小五金，可以省去不做。（×）

69．使用框锯进行圆弧锯割操作中，锯条应该垂直于工件面。（√）

70．使用平刨在刨削操作中，刨身不论是向前或向后运动，都应紧贴工件面。（×）

71．使用凿进行凿眼操作中，为了出屑方便，凿可以左右摆动和前后摇动。（×）

72．使用螺旋钻进行钻孔操作时，应双面钻，以防损坏工件表面的光洁度。（√）

73．绝对标高是以我国黄海海平面的平均高度为零而测量得的。（√）

74．相对标高一般是以建筑物相对于首层室内的地坪为零而测量得的。（√）

75．相对标高一般是以建筑物相对于基础底面为零而测量得的。（×）

76. 图纸上指北针的箭头指的是北向，而箭尾为南向。（√）

77. 图纸上指北针的箭头指的是南向，而箭尾为北向。（×）

78. 由国家、地方或设计单位统一绘制的具有通用性的图纸才可称为标准图。（√）

79. 只有国家统一绘制的具有通用性的图纸才可称为标准图。（×）

80. 只有设计单位统一绘制的具有通用性的图纸才可称为标准图。（×）

81. 标准做法的图纸叫标准图。（×）

82. 建筑立面图是室外朝墙看的投影图。（√）

83. 建筑立面图是室内朝墙看的投影图。（×）

84. 建筑立面图就是南立面图，而侧立面图就是东或西立面图。（×）

85. 从建筑立面图上窗的垂直排列情况，一般可以确定建筑物地上层数。（√）

86. 通过立面图与平面图的综合与对照，可以了解外墙面上的门窗型号和位置。（√）

87. 楼梯图一般由平面图、剖面图、详图三部分所组成。（√）

88. 一般楼梯平面图有底层平面图、标准平面图、顶平面图三种。（√）

89. 休息平台的宽度一般与楼梯的宽度相近。（√）

90. 楼梯栏杆的高是指踏步宽面的中心点到栏杆面的垂直距离。（√）

91. 楼梯的结构标高加上面层装修厚度则成为楼梯的建

筑标高。 (√)

92. 楼层结构平面图主要反映了楼层的梁板等构件的布置情况。 (√)

93. 楼层结构平面图中的板面标高，一般比相应层次的建筑平面图的板面标高低。 (√)

（二）选择题（正确答案序号写在每题横线上）

1. 据冶炼方法__D__钢的质量最好。

A. 平炉钢　　B. 氧气转炉钢

C. 空气转炉钢　　D. 电炉钢

2. 沸腾钢的代号__C__。

A.D　B.E　C.F　D.G

3. 镇静钢的代号__A__。

A.Z　B.E　C.D　D.Y

4. 半镇静钢的代号__C__。

A.E　B.D　C.B　D.Z

5. 特殊半镇静钢的代号__A__。

A.TZ　B.DZ　C.EZ　D.WZ

6. 钢的含碳量高，说明钢的强度__B__。

A. 小　B. 大　C. 中等　D. 最低

7. 合金元素小于__A__为低合金钢。

A.5%　B.6%　C.7%　D.8%

8. 合金元素是__B__为中合金钢。

A.5%～8%　B.5%～10%　C.6%～8%　D.6%～10%

9. 合金元素大于__A__为高合金钢。

A.10%　B.12%　C.15%　D.20%

10. 含碳量大于__D__的铁碳合金称为铁。

A.2%　B.2.02%　C.2.04%　D.2.06%

11. 含碳量小于___B___的铁碳合金称为钢。

A.2.01%　　B.2.06%　　C.2.03%　　D.2.04%

12. 低碳钢的碳含量小于___B___

A.0.2%　　B.0.25%　　C.0.3%　　D.0.35%

13. 含碳量是___C___为中碳钢

A.0.2%～0.4%　　B.0.25%～0.5%

C.0.25%～0.6%　　D.0.3%～0.6%

14. 含碳量是___D___为高碳钢

A.0.5%～2.0%　　B.0.6%～2.03%

C.0.5%～2.05%　　D.0.6%～2.06%

15. 碳素结构钢牌号中，表示屈服点的字母是___B___。

A.J　　B.Q　　C.D　　D.Y

16. 吊顶龙骨的代号是___B___。

A.B　　B.D　　C.E　　D.F

17. 隔断龙骨的代号是___B___。

A.D　　B.Q　　C.Y　　D.J

18.C形龙骨主要用于___D___。

A. 吊顶　　B. 地面　　C. 屋顶　　D. 隔墙

19.U形和T形龙骨主要用于___A___。

A. 吊顶　　B. 地面　　C. 屋顶　　D. 隔墙

20.Q75系列以下的轻钢龙骨，用于层高___C___m以下的隔墙。

A.2.8　　B.3.0　　C.3.5　　D.4.0

21.Q75系列以上的轻钢龙骨，用于层高___B___m以下的隔墙。

A.3～4　　B.3.5～6.0

C.3.5～5　　D.3.5～7.0

22. 根据静载试验，吊顶轻钢主龙骨的最大挠度不大于___C___mm

A. 3　　B. 4　　C. 5　　D. 6

23. 根据静载试验，吊顶轻钢次龙骨的最大挠度不大于___D___mm

A. 5　　B. 7　　C. 9　　D. 10

24. 根据吊顶轻钢龙骨的力学性能要求，覆面龙骨的残余变形不大于___A___mm

A. 2.0　　B. 2.5　　C. 3.0　　D. 3.5

25. 根据吊顶轻钢龙骨的力学性能要求，承载龙骨的残余变形不大于___B___mm

A. 1.5　　B. 2.0　　C. 2.5　　D. 3.0

26. D38 主龙骨的用钢是___C___kg/m

A. 0.52　　B. 0.54　　C. 0.56　　D. 0.6

27. D50 主龙骨的用钢是___D___kg/m

A. 0.82　　B. 0.85　　C. 0.9　　D. 0.92

28. D60 主龙骨的用钢是___C___kg/m

A. 1.2　　B. 1.5　　C. 1.53　　D. 1.55

29. D25 主龙骨的用钢是___B___kg/m

A. 0.12　　B. 0.13　　C. 0.14　　D. 0.15

30. D50 主龙骨的用钢是___B___kg/m

A. 0.40　　B. 0.41　　C. 0.42　　D. 0.43

31. D-1 型吊顶龙骨的用钢量是___C___kg/m^2

A. 0.7　　B. 0.8　　C. 0.9　　D. 1.0

32. D-2 型吊顶龙骨的用钢量是___D___kg/m^2

A. 1.2　　B. 1.3　　C. 1.4　　D. 1.5

33. D-3 型吊顶龙骨的用钢量是___B___kg/m^2

A.1.5　B.2.0　C.2.5　D.3.0

34.D-4型吊顶龙骨的用钢量是＿D＿kg/m^2

A.0.8　B.0.9　C.1.0　D.1.1

35.日本研制的“电解着色”装饰铝合金，其中Mn占＿B＿比例。

A.0.4%～2.0%　B.0.5%～2.0%

C.0.6%～2.0%　D.0.7%～2.0%

36.日本研制的“电解着色”装饰铝合金，其中Mg占＿C＿比例。

A.0.5%～2.0%　B.0.5%～3.0%

C.0.5%～4.0%　D.0.5%～5.0%

37.建筑装饰用铝型材，用阳极氧化处理的占铝型材总用量的＿D＿。

A.50%～60%　B.60%～70%

C.65%～75%　D.75%～85%

38.建筑装饰用铝型材，用阳极氧化处理的目前占总用量的＿B＿。

A.10%～25%　B.15%～25%

C.20%～25%　D.15%～30%

39.铝合金门窗比普通门窗的造价高＿C＿倍。

A.2～3　B.2～4　C.3～4　D.3～5

40.平开铝合金窗的代号＿A＿。

A.PLC　B.TLC　C.GLC　D.CLC

41.固定铝合金窗的代号＿C＿。

A.XLC　B.ILC　C.GLC　D.APLC

42.带纱铝合金窗的代号＿C＿。

A.HPLC　B.ATLC　C.APLC　D.SPLM

43. 平开铝合金门的代号___A___。

A.PL　　B.GL　　C.DL　　D.XL

44. 推拉铝合金门的代号___B___。

A.GLM　　B.TLM　　C.STLM　　D.LIHM

45. 固定铝合金门的代号___A___。

A.GLM　　B.TLM　　C.STLM　　D.LIHM

46. 安装450×600的玻璃窗扇，采用普通铰链规格为___B___。

A.25mm配12mm木螺钉

B.50mm配18mm木螺钉

C.75mm配30mm木螺钉

D.100mm配50mm木螺钉

47. 安装500×1250的玻璃窗扇，采用普通铰链规格为___C___。

A.50mm配18mm木螺钉

B.75mm配20mm木螺钉

C.75mm配30mm木螺钉

D.100mm配35mm木螺钉

48. 安装一般的门窗，采用铰链规格为___D___。

A.75mm配30mm木螺钉

B.75mm配35mm木螺钉

C.100mm配30mm木螺钉

D.100mm配35mm木螺钉

49. 安装宽度较大的门窗，采用铰链规格为___C___。

A.100mm配35mm木螺钉

B.100mm配50mm木螺钉

C.150mm配50mm木螺钉

D.150mm 配 35mm 木螺钉

50. 安装 600×1500 的纱窗扇，采用铰链规格为__B__。

A.50mm 配 18mm 木螺钉

B.75mm 配 30mm 木螺钉

C.75mm 配 50mm 木螺钉

D.100mm 配 35mm 木螺钉

51. 刨的刨刃平面应磨成一定的形状，即形成__A__为正确。

A. 直线形　　B. 凹线圆弧形

C. 凸线圆弧形　　D. 斜线形

52. 木门扇的锁，一般安装高度为__B__mm。

A.800～900　　B.900～950

C.900～1000　　D.100～1100

53. 木门扇的上铰链距离扇顶边为__C__mm。

A.150～160　　B.160～175

C.175～180　　D.180～185

54. 木门扇的下铰链距离扇底边为__D__mm。

A.175～180　　B.170～190

C.190～195　　D.195～200

55. 在吊置平顶搁栅时，沿墙平顶筋__B__。

A. 按图纸注明设置　　B. 四周都要设置

C. 有时可设，有时可不设　D. 四周都不必设置

56. 当墙面的窗扇向里开窗时，窗上结构应作防水处理，其方法为__C__。

A. 固定不开　　B. 百叶窗

C. 披水板与出水槽（孔）　D. 设窗帘

57. 在组合钢门窗的拼管拼接时，应采用__D__嵌满填

实。

A. 水泥砂浆　　　　　　　B. 石灰砂浆

C. 水泥袋纸　　　　　　　D. 油灰

58. 铁门窗的铁脚，应采用＿A＿固定。

A. 水泥砂浆　　　　　　　B. 石灰砂浆

C. 水泥纸袋　　　　　　　D. 油灰

59. 铁门窗框与墙体间隙缝应采用＿A＿填嵌密实。

A. 水泥砂浆　　　　　　　B. 混合砂浆

C. 石灰砂浆　　　　　　　D. 水泥纸袋

60. 在钢窗的安装中，常用木榫作临时固定，其固定位置一般在＿C＿。

A. 边框中间　　　　　　　B. 远离边角

C. 靠近边角　　　　　　　D. 什么地方均可

61. 在安装钢窗零件中，遇到一时安装不到位时，应＿D＿。

A. 用锤猛力击入　　　　　B. 用电焊固定

C. 用不同型号的零件代替 D. 维修后装入

62. 水平尺中的水准管，是空心的＿D＿玻璃管。

A. 直形　　B. 方形　　C. 球形　　D. 半圆形

63. 水平尺中的两个水准管，是成＿B＿布置。

A. 平行　　B. 垂直　　C. 成角　　D. 随意

64. 水平尺中的水准管的曲率越小，则测定水平度的精度越＿A＿。

A. 大　　B. 小　　C. 无变　　D. 不变

65. 线坠用来测定垂直情况，使用时手持线的上端，锤体自由下垂，视线顺着线绳来校验杆件是否垂直，如果线绳到物面的距离上下都一致，则表示杆件呈＿D＿。

A. 垂直　　　　　　　B. 不垂直

C. 可能垂直　　　　　D. 单面垂直

66. 用墨斗弹线时，为使墨线弹的正确，提起的线绳要__C__。

A. 保持垂直　　　　B. 提得高

C. 与工件面成垂直　　D. 多弹几次选择较好的一条

67. 楼梯段的宽度是由同时通行的人数而设计的，若宽度为1100mm，则可知为__B__。

A. 单人通行　　　　　B. 双人通行

C. 三人通行　　　　　D. 四人通行

68. 当楼梯段的宽度为1700mm，则应__B__。

A. 可不设靠墙扶手　　B. 设靠墙扶手

C. 设中间栏杆　　　　D. 随便

69. 同一段楼梯，其踏步数不能超过__B__级。

A.15　　B.18　　C.22　　D.25

70. 楼梯栏杆的高度一般为__C__。

A.600　　B.750　　C.900　　D.1100

71. 一般楼梯踏步的高和宽之和为__B__。

A.350　　B.450　　C.550　　D.650

72. 承重墙在建筑中的作用为__D__。

A. 承重　　　　　　　B. 围护

C. 分隔　　　　　　　D. 承重、围护、分隔

73. 外墙勒脚的高度一般为__C__。

A.8～15　　　　　　B.15～45

C.500～900　　　　 D.900～1200

74. 砖墙的防水层顶面标高常为__A__。

A. −0.06m　　　　　B. ±0.00m

C.0.12m　　　　　　　　D. 随便

75. 踢脚线的高度一般为___B___。

A.50～80mm　　　　　　B.80～20mm

C.200～450mm　　　　　D.450～600mm

76. 墙裙的高度一般为___C___mm。

A.450～600　　　　　　B.600～900

C.900～1800　　　　　D. 随便

77. 为了便于记忆图纸中短边与长边之间的关系，规定短边与长边之比为___C___。

A.1∶1.2　　　　　　　B.1∶1.5

C.1∶1.75　　　　　　D.1∶2.0

78. 房屋建筑制图统一标准规定，A2 图幅的长边为___B___。

A.A1 的长边的一半　　　B.A1 的短边

C.A3 长边的 2 倍　　　　D.A3 短边的一倍

79. 图纸的图标，位置在图框的___C___。

A. 之外　　　　　　　　B. 之内

C. 之内右下脚　　　　　D. 之外左上角

80. 图纸的会签标，位置在图框的___D___。

A. 之外　　　　　　　　B. 之内

C. 之内右下脚　　　　　D. 之外左上角

81. 在特殊情况下，图纸可以加长，其规定如下___B___。

A. 长边、短边均可加长

B. 长边可加长，短边不可加长

C. 长边不可加长，短边可加长

D. 长边、短边按一定关系加长

82. 雨篷的代号为___A___。

A. YP　　B. WJ　　C. KJ　　D. SJ

83. 阳台的代号为 A 。

A. YT　　B. YP　　C. SJ　　D. KJ

（三）计算题

1. 某房间短向跨度为 12m，试计算吊顶龙骨的最小起拱高度。

2. 某房间进深为 6.6m，在房间内沿进深方向设置轻钢龙骨石膏板隔墙，试计算该隔墙沿地龙骨的最少固定点数。

3. 某装饰装修工程中轻钢结构的竖向杆件长 4.8m，其号料长度应为多少？

4. 某装饰装修工程中，钢结构预埋连接件采用Ⅱ级钢筋作为锚筋，试求该锚筋的锚固长度。

（四）简答题

1. 钢材分类的主要方法有哪四种？

答：可按冶炼方式不同、化学成分不同、质量不同、用途不同四种方法分类。

2. 钢材按冶炼炉种不同可分为哪几种？

答：平炉钢、氧气转炉钢、空气转炉钢、电炉钢。

3. 钢材按化学成分不同可分为哪几种？

答：碳素钢、合金钢。

4. 钢材按质量不同可分为哪几种？

答：普通钢、优质钢、高级优质钢、特级优质钢。

5. 钢材按用途不同可分为哪几种？

答：建筑钢、结构钢、工具钢、特殊性能钢。

6. 建筑装饰装修工程中常用的钢材有哪几种？

答：碳素结构钢、低合金高强度结构钢。

7. 钢材按脱氧程度不同可分为哪些种类？

答：沸腾钢、镇静钢、平静钢、特殊镇静钢。

8. 轻钢龙骨具有哪些特点和性能？

答：自身质量较轻，防火性能优良，施工效率较高，结构安全可靠，抗冲击性能好，抗振性能良好，可提高隔热、隔声效果、室内利用率高。

9. 隔墙轻钢龙骨的主件有哪些部分？

答：沿地龙骨、竖向龙骨、加强龙骨、贯通龙骨。

10. 按加工方法不同，铝合金可分为哪几种？

答：变形铝合金、铸造铝合金、装饰铝合金。

11. 铝型材常用的着色处理方法有哪几种？

答：自然着色法、电解着色法。

12. 铝合金门窗与钢木门窗相比有哪些方面的优点？

答：质量轻、性能好、色泽美观、耐腐蚀性能强、维修方便、便于工业化生产。

13. 铜的冶炼方法有哪些种类？

答：火法冶炼、湿法冶炼。

14. 电焊条由哪几部分组成？

答：焊芯、药皮。

15. 工程中应用最广的焊条是哪几种？

答：碳钢焊条、低合金钢焊条。

16. 什么是定位轴线？

答：定位轴线是指建筑、设计施工中的假定控制线，建立在模数制基础上的平面坐标网。

17. 什么叫视图，什么叫三面视图？

答：视图一般指正投影图，即人们的视线垂直于投影面观察物体，在投影面上画出的图形。物体在三个互相垂直的投影面上的正投影图就是该物体的三面视图。

18. 建筑图纸上，尺寸单位是怎样表示的？建筑平面图上的尺寸一般标有哪三道？

答：建筑图纸上，除了标高的单位为米，其他都以毫米为单位。

建筑平面图上的尺寸一般标有外包总尺寸、轴线尺寸、细部尺寸。

19. 什以叫建筑平面图？它有什么作用？

答：将建筑沿窗台处水平剖切，移去上部而得到的俯视图叫建筑平面图，它反映建筑的水平平面布置的情况，建筑平面图为施工放线、砌筑、门窗安装、室内装修以及施工预算和工程结算提供了依据。

20. 什么叫建筑立面图？有哪几种作用？

答：房屋建筑的外观的视图，叫做立面图。一般有正立面、侧立面、背立面等，反映了门窗、出入口等外观的垂直情况，主要供室外装修之用。

21. 铰链的作用是什么？主要有哪些种类？

答：铰链又称合页，装在门窗、箱柜上作启闭等用。

铰链的种类有普通铰链、抽芯铰链、轻型铰链、单面弹簧铰链、双面弹簧铰链、工字形铰链、单页尖尾铰链、翻窗铰链等。

22. 直角尺的主要用途是什么？如何校验直角尺的准确性？

答：直角尺主要用于画垂直线、平行线，卡方（检查垂直面）和检查表面平直情况，检查尺身的平直性。把尺身贴于平整的物面上，接触面上无漏光现象，说明平直性合格。检查垂直度的精确情况，将尺柄紧贴在一块平直的板边，沿尺身在板上画一垂直线，再将尺柄翻身，调换相对方面，仍在同一点画线，两垂直线重叠，表示准确，否则不合标准。

23. 装饰装修工程中，轻钢龙骨的主要技术要求包括哪些方面？

答：外观质量，角度允许偏差，内角半径，尺寸允许偏差，力学性能等。

24. 简述吊顶轻钢龙骨安装施工的操作顺序。

答：轻钢龙骨的施工操作顺序为：放线→固定吊点、吊杆→安装主龙骨→调平主龙骨→固定次龙骨→固定横撑龙骨。

25. 简述吊顶铝合金龙骨安装施工的操作顺序。

答：铝合金龙骨吊顶的施工操作顺序为：放线定位→固定悬吊体系→安装调平龙骨→安装饰面板。

26. 简述隔墙轻钢龙骨安装施工的操作顺序。

答：轻钢龙骨的安装顺序是：墙位放线→安装沿顶、沿地龙骨→安装竖向龙骨（包括门口加强龙骨）→安装横撑龙骨、通贯龙骨→各种洞口龙骨加固→安装墙内管线及其他设施。

27. 铝合金门窗的固定要求有哪些？

答：（1）固定点距门窗的距离不得大于180mm，固定点间距不得大于600mm，四周均设。

（2）铝门框埋入地面以下20～50mm。

（3）与铝框连接的固定或连接铁件，需做镀锌或防腐处理，避免电化学腐蚀。

（4）采用焊接固定时不得在铝框上打火，并需在焊接点附近用石棉布包好铝框。

（5）采用射钉固定时，射钉点距结构边缘不得小于50mm，且不得在砖墙上射钉。

(6) 自由门安装调整后，地弹簧周围需灌筑 C25 以上豆石混凝土。

28. 简述铝合金框扇玻璃的安装应注意的问题。

答：(1) 玻璃裁割尺寸准确、方正，大小符合有关间隙要求；

(2) 安装时保证与镶嵌槽的间隙，并加装减振垫块；

(3) 嵌缝密封膏时要擦净尘土、污物，活扇找正，保证框扇间缝隙均匀；嵌胶的宽度、坡度一致，填实粘牢，颜色与框扇协调；污染及时清理。

29. 吊顶安装的质量标准有哪些？

答：质量标准有：

(1) 吊筋、龙骨、面板的位置、间距准确，安装牢固；

(2) 周边水平度误差小于 5mm，起拱不小于短跨的 1/200；

(3) 表面平整 2～3mm/2m；接缝压条平直 1.5～4mm/5m；

接缝高低差 0.5～1mm；压条间距差小于 2mm。

30. 上人与不上人吊顶的区别何在？

答：(1) 吊筋直径：不上人的小于 4mm，上人的 6～10mm。

(2) 吊筋间距：不上人@1.2－1.5m，上人@0.9－1.2m；

(3) 龙骨大小：不上人用 C38、C45，上人用 C50、C60。

31. 吊顶工程的成品保护应注意哪些问题？

答：(1) 吊顶板安装要在吊顶内各类管线、设备安装完毕并经验收合格后进行；

（2）吊顶安装后就不得打孔、开洞；

（3）吊顶板应注意防潮，不得淋湿，附近不得有电焊作业；

（4）吊顶内检修设备作业时，不得踩踏吊顶板或非上人龙骨；

（5）吊顶内各类吊杆单独设置，不得借用。

32. 使用型材切割机时应注意哪些问题？

答：（1）使用前应检查切割机各部位是否紧固，检查绝缘电阻、电缆线、接地线以及电源额定电压是否与铭牌要求相符，电源电压不宜超过额定电压10%。

（2）选择砂轮片和木工圆锯片，规格应与铭牌要求相符，以免电机超载。

（3）使用时，要将被切割件装在可转夹锥上，开动电机，用手柄揿下动力头，即可切断型材，夹钳与砂轮片应根据需要调整角度。J_3G_4W型型材切割机的砂轮片中心可前后位移，调整砂轮片与切割型材的相应位置，调稳时只要将两个固定螺钉松开，调好后拧紧即可。

（4）切割机开动后，应首先注意砂轮片旋转方向是否与防护罩上标出的方向一致，如不一致，应立即停车，调换插头中两支电源线。

（5）操作时不能用力按手柄，以免电机过载或砂轮片崩裂。操作人员可握手柄开关，身体应倒向一旁。因有时紧固夹钳螺丝松动，导致型材弯起，切割机切割碎屑过大飞出保护罩，容易伤人。

（6）使用中如发现机器有异常杂音，型材或砂轮跳动过大等应立即停机，检修后方可使用。

（7）机器使用后应注意保存。

33. 使用手电钻时应注意哪些问题?

答:(1) 电动小电钻禁止用力过猛压钻柄或用管子套在手柄上加力。

(2) 手电钻的手提把和电源导线应经常检查，保持绝缘良好，电线必须架空，操作时戴绝缘手套。

(3) 手电钻应按出厂的铭牌规定，正确掌握电压功率和使用时间。如发现漏电现象、电机发热超过规定，转动速度突然变慢或有异声时，应立即停止使用，交电工检修。

(4) 手电钻钻头必须拧紧，开始时应轻轻加压，钻孔钻杆保持直线，不得翘扳或过分加压，以防断钻。

(5) 手电钻向上钻孔，只许用手顶托钻把，不许用头顶肩夹。

(6) 手电钻高空作业时，应搭设安全脚手架或挂好安全带。

(7) 手电钻先对准孔位后才开动电钻，禁止在转动中手扶钻杆对孔。

(8) 电动小电钻的手提把和电源导线应经常检查，保持绝缘良好，电线必须架空，操作时戴绝缘手套。

34. 使用铣床时应注意哪些问题?

答:(1) 安装夹具和工件必须牢固可靠，不得松动。

(2) 拆装立铣刀时，台面应垫木块，不得用手托刀盘。

(3) 铣削中，头和手不得靠近铣削面，高速切削时应设防护挡板。

(4) 清除切屑应在停车后用毛刷进行，不得用手抹、嘴吹。

(5) 对刀时，必须慢速进刀，当刀接近工件时，应换用手动摇进。

(6) 进刀不宜过猛，自动走刀时必须脱开手轮，不得突然改变进刀速度。

(7) 铣削进给应在刀具与工件接触前进行，并应预先调整好限位撞块。

(8) 快速行程，要在各有关手柄脱开后方可进行。

(9) 正在走刀时，不得停车，铣深槽时应先停车退刀。

35. 在电焊过程中，进行哪些操作时必须切断电源才能进行？

答：(1) 改变焊机接头时；

(2) 更换焊件需要改接二次回路时；

(3) 更换保险装置时；

(4) 焊机发生故障需进行检修时；

(5) 转移工作地点搬动焊机时；

(6) 工作完毕或临时离开工作现场时。

36. 使用交流电焊机时必须注意哪些问题？

答：(1) 应注意初、次级线，不可接错，输入电压必须符合电焊机的铭牌规定。严禁接触初级线路的带电部分。

(2) 次级抽头连接钢板必须压紧，接线柱应有垫圈。合闸前应详细检查接线螺母、螺栓及其他部件应无松动或损坏。

(3) 移动电焊机时，应切断电源，不得用拖拉电缆的方法移动焊机，如焊接中突然停电，应切断电源。

二、实际操作部分

1. 题目：吊顶轻钢龙骨安装（次龙骨间距 450mm）（平面）

考核数量 1.8×1.8 (m^2)。

考核项目及评分标准

序号	考核项目	检查方法	测量	允许偏差	评分标准	满分	得分
1	吊顶标高	观察、尺量	任意	±3mm	超过误差标准每点扣2分	10	
2	吊点、后置埋件设置	观察、拉拔试验	任意		吊点间距、数量不符合设计要求扣2分，吊点稳固不符合要求扣3分	10	
3	吊杆的选择及与吊点的连接	观察、手扳	任意		吊杆选择不符合设计要求扣3分，吊杆与吊点连接方式及稳固不符合要求扣3分	10	
4	龙骨的材质、规格、安装间距、连接方式	观察、尺量	任意		不符合要求扣3分	10	
5	龙骨的平整度及起拱度	用2m靠尺和塞尺检查	任意	3	不符合要求扣2分	10	
6	饰面材料材质、品种、规格、颜色、图案	观察、合格证	任意		不符合要求扣2分	5	
7	饰面板表面平整度	用2m靠尺和塞尺检查	任意	2mm(纸面石膏板3mm)	不符合要求扣3分	5	
8	接缝顺直度	拉5m线，不足5m拉通线，用钢直尺检查	任意	3mm(金属板1.5mm)	不符合要求扣3分	5	

续表

序号	考核项目	检查方法	测量	允许偏差	评分标准	满分	得分
9	接缝高低差	用钢直尺和塞尺检查	任意	1mm(矿棉板1.5mm)	不符合要求扣3分	5	
10	工艺操作规程				错误无分，局部错误扣1～9分	10	
11	安全生产				有事故无分，有事故隐患扣1～4分	5	
12	文明施工				工完料不清扣5分	5	
13	工效				低于定额90%无分，在90%～100%之间酌情扣分，超过定额者，酌情加1～3分	10	

2. 题目：隔墙轻钢龙骨安装（竖向龙骨间距603mm，横向龙骨间距1500mm）

隔墙长3m，高2.6m。

考核项目及评分标准

序号	考核项目	检查方法	测量	允许偏差	评分标准	满分	得分
1	龙骨及配件的材质及规格	观察、合格证	任意		不符合要求扣3分	10	
2	沿地、沿顶、沿墙主龙骨与基体连接	观察、手扳	任意		连接点符合要求，连接牢固，不符合要求每点扣3分	10	
3	龙骨架安装平整、垂直、位置正确	观察2m靠尺、塞尺、垂直检查尺	任意	3mm	不符合要求每点扣2分	10	

续表

序号	考核项目	检查方法	测量	允许偏差	评分标准	满分	得分
4	龙骨间距及构造方法正确牢固	观察、手扳	任意		不符合要求每点扣3分	10	
5	墙面板安装牢固，无脱层、翘曲、折裂及缺损	观察、手扳	任意		不符合要求扣3分	10	
6	墙面板走向垂直度	2m 垂直检查尺检查	任意	3mm	不符合要求每点扣2分	4	
7	墙面板表面平整度	用2m靠尺和塞尺检查	任意	3mm	不符合要求每点扣2分	4	
8	墙面板阴阳角方正	用直尺检查	任意	3mm	不符合要求每点扣2分	4	
9	墙面板接缝顺直度	拉5m线，不足5m拉通线，用钢直尺检查	任意	3mm	不符合要求每点扣2分	4	
10	墙面板接缝高低差	用钢直尺和塞尺检查	任意	1mm	不符合要求每点扣2分	4	
11	工艺操作规程				错误无分，局部错误扣1～10分	10	
12	安全生产				有事故无分，有事故隐患扣1～4分	5	
13	文明施工				工完料不清扣5分	5	
14	工效				低于定额90%无分，在90%～100%之间酌情扣分，超过定额者，酌情加1～3分	10	

3. 项目：墙面不锈钢饰面板

考核项目及评分标准

序号	考核项目	检查方法	测量	允许偏差	评分标准	满分	得分
1	选材：饰面板品种、规格、性能	观察、合格证	任意		不符合要求每点扣3分	10	
2	板材裁板下料	尺量	任意	1mm	不符合要求每点扣3分	10	
3	黏结材料选择	观察、合格证	任意		不符合要求每点扣3分	10	
4	板材黏结表面平整	观察2m靠尺和楔形塞尺检查	任意	3mm	不符合要求每点扣2分	10	
5	板材黏结阴阳角方正	用200mm方尺检查	任意	3mm	不符合要求扣2分	10.	
6	板材黏结接缝平直	拉5m线检查，不足5m拉通线检查		0.5mm	不符合要求扣2分	10	
7	板材粘贴接缝高低	用直尺和楔形塞尺检查		1mm	不符合要求扣2分	10	
8	工艺操作规程				错误无分，局部错误扣1～9分	10	
9	安全生产				有事故无分，有事故隐患扣1～4分	5	

续表

序号	考核项目	检查方法	测量	允许偏差	评分标准	满分	得分
10	文明施工				工完料不清扣5分	5	
11	工效				低于定额90%无分，在90%～100%之间酌情扣分，超过定额者，酌情加1～3分	10	

4. 题目：安装钢门窗

考核项目及评分标准

序号	考核项目	检查方法	测量	允许偏差	评分标准	满分	得分
1	钢门窗标高	尺量	4个	±3mm	按水平线安装，超过±3mm，每点扣2分	5	
2	钢门窗与墙体间的缝隙合理	尺量	4个	10mm	要求合理，每超2mm扣2分	5	
3	打墙眼、装脚头	目测	任意		墙眼大小不符合，脚头有弯曲，每点扣1分	10	
4	框平面垂直度	托线板挂线	4个	1.5mm	每超过0.5mm，扣2分	10	

续表

序号	考核项目	检查方法	测量	允许偏差	评分标准	满分	得分
5	对角线差度	尺量	2个	3mm	每超过0.5mm，扣2分	10	
6	拼装	目测	任意		油灰不密实，脚头有松动，每点扣2分	10	
7	固定牢固	目测	任意		木楔榫四角不对，钢窗松动扣分	10	
8	平整度	拉5m线，不足5m拉通线	4个	2mm	每超过0.5mm扣2分	10	
9	工艺操作规程				错误无分，局部错误扣1～9分	10	
10	安全生产				有事故无分，有事故隐患扣1～4分	5	
11	文明施工				工完料不清扣5分	5	

续表

序号	考核项目	检查方法	测量	允许偏差	评分标准	满分	得分
12	工效				低于定额90%无分，在90%～100%之间酌情扣分，超过定额者，酌情加1～3分	10	

5.题目：电化铝板墙面

考核项目及评分标准

序号	考核项目	检查方法	测量	允许偏差	评分标准	满分	得分
1	选材：饰面板品种、规格、性能	观察、合格证	任意		不符合要求每点扣3分	10	
2	板材裁板下料	尺量	任意	1mm	不符合要求每点扣3分	10	
3	黏结材料选择	观察、合格证	任意		不符合要求每点扣3分	10	
4	板材黏结表面平整	观察2m靠尺和楔形塞尺检查	任意	3mm	不符合要求每点扣2分	10	

续表

序号	考核项目	检查方法	测量	允许偏差	评分标准	满分	得分
5	板材黏结阴阳角方正	用 200mm 方尺检查	任意	3mm	不符合要求扣 2 分	10	
6	板材黏结接缝平直	拉 5m 线检查，不足 5m 拉通线检查		0.5mm	不符合要求扣 2 分	10	
7	板材粘贴接缝高低	用直尺和楔形塞尺检查		1mm	不符合要求扣 2 分	10	
8	工艺操作规程				错误无分，局部错误扣 1～9 分	10	
9	安全生产				有事故无分，有事故隐患扣 1～4 分	5	
10	文明施工				工完料不清扣 5 分	5	
11	工效				低于定额 90% 无分，在 90%～100%之间酌情扣分，超过定额者，酌情加 1～3 分	10	

第二章　金属工中级工

一、理论部分

（一）是非题（对的打“√”，错的打“×”）

1. 装饰装修用钢材按化学成分不同可分为碳素钢和合金钢二种。（√）

2. 建筑装饰装修用钢材分类的主要方法是按冶炼方法、化学成分、质量和用途不同分类。（√）

3. 建筑装饰装修用钢材按脱氧的程度不同分为镇静钢、半镇静钢和特殊镇静钢。（×）

4. 建筑装饰装修工程中常用的钢材是普通钢和碳素结构钢。（×）

5. 普通钢、优质钢、高级优质钢和特殊优质钢是按碳和硫的含量来划分的。（√）

6. 碳素结构钢牌号中的字母“a”表示的是屈服点数值。（×）

7. Q215 钢材具有强度低、塑性大、受力后变形大的特点。（√）

8. 由于 Q275 钢材塑性较差，在装饰装修工程中很少应用。（√）

9. 低合金高强度结构钢牌号中应包含屈服点、屈服点数值和质量等级三个部分。（√）

10. 钢材牌号数值越大，表明含碳量越高其强度也越高。（√）

11. 钢材的含碳量越高，其塑性和韧性越低。（√）

12. 建筑装饰装修钢结构中，主要应用的是 Q235 号钢。

(√)

13. 根据 Q235-D 号钢的性能特点，在负温条件下应用更显其优越性。 (√)

14. 含碳量小于 0.25% 的碳素钢称为低碳钢。 (√)

15. 高合金钢的合金总含量大于 5%。 (×)

16. 合金总含量为 5%～10% 的钢为中合金钢。 (√)

17. 钢材的可焊性随含碳量的增高而降低。 (√)

18. 钢材的韧性随含碳量的增高而降低。 (×)

19. 含碳量为 0.6%～2.06% 的碳钢称为高碳钢。 (√)

20. 代号用“F”表示的是沸腾钢。 (√)

21. 沸腾钢是脱氧程度较差的钢。 (√)

22. 镇静钢是脱氧程度最好的钢。 (×)

23. 脱氧程度最好的钢是特殊镇静钢。 (√)

24. 代号“TZ”表示的是特殊镇静钢。 (√)

25. 在现有的冶炼炉种下，电炉冶炼的钢是最好。 (√)

26. 铬在钢中的含量越高，钢的抗腐蚀性越好。 (√)

27. 钢材的锈蚀破坏主要是化学腐蚀和电化学腐蚀。 (√)

28. 电化学腐蚀是钢材难以避免的锈蚀破坏。 (√)

29. 在钢中加入适量的铬元素可提高钢的强度。 (×)

30. 在钢中加入适量的铬元素的目的是提高钢的耐腐蚀性。 (√)

31. PVC 钢板表面涂层主要缺点是易老化。 (√)

32. 建筑外用彩色涂层钢板的代号是“JW”。 (√)

33. 建筑内用彩色涂层钢板的代号是“GZ”。 (×)

34. 吊顶龙骨中的大龙骨和承重龙骨为同一种龙骨。 (√)

35. 隔墙龙骨主要分为竖、横和贯通龙骨。 (√)

36. 在铝中加入适量锰元素是为提高铝的抗腐蚀能力。 (√)

37. 防锈铝合金是不能热处理强化的铝合金。 (√)

38. 硬铝合金是可热处理强化的铝合金。 (√)

39. 铝中加入适量的锰和镁都可起到固熔强化作用。 (√)

40. 超硬铝合金经热处理后其强度提高，但耐腐蚀性和耐高温性能降低。 (√)

41. 浇铸前在合金液中加入2%～3%的钠盐混合物，只提高铸造铝合金的强度，而对其塑性无影响。 (×)

42. 目前对铝型材着色处理的方法常用的有自然着色法和电解着色法。 (√)

43. 装饰装修工程中常用铝合金龙骨有吊顶龙骨和隔墙龙骨。 (√)

44. 电焊条由焊芯、夹层和药皮三部分组成。 (×)

45. 工程中应用最广的焊条是碳钢焊条和低合金钢焊条。 (√)

46. 手枪式电钻的最大钻孔直径为13mm。 (√)

47. 手提式电钻的最大钻孔直径为22mm。 (√)

48. 一般的冲击电钻在砖中的钻孔直径为24mm。 (√)

49. 手电刨的吃刀深度，应控制在1mm以内。 (√)

50. 手提式木工电动工具的电压，一般都为370V。 (×)

51. 影响混凝土强度增长的主要因素是水泥用量多少，水泥用量越多，则强度增长越快。 (×)

52. 影响混凝土强度增长的主要因素是水泥的标号，标

号越高，则强度增长越快。 (×)

53. 轻钢龙骨吊顶就是铝合金平顶。 (×)

54. 木平顶筋下面不能做铝合金平顶面层。 (×)

55. 轻钢龙骨吊顶的面层，可以做三夹板、玻璃镜面的平顶面层。 (√)

56. 轻钢龙骨隔墙的骨架拼装连接，常采用沉头木螺钉固定。 (×)

57. 轻钢龙骨的三个类别（C50、C75、C100），其构造方式相同，仅断面的宽度不同以适于建造不同高度的隔墙需要。 (√)

58. 之所以在木踢脚板上穿小孔，是为了使潮气能流出，以防踢脚板受潮腐朽。 (√)

59. 铝合金平顶中心标高的引测可以直接从楼地面量得。 (×)

60. 由于铝合金平顶的龙骨必须用铝合金材料制成，故选价很高。 (×)

61. 铝合金吊顶上风口、检修口、灯罩等预留洞，均需增设主龙骨，并且吊扇的吊钩不应设置在龙骨上。 (√)

62. 在铝合金平顶中，为节约材料，靠墙龙骨可间隔设置。 (×)

63. 铝合金平顶大小次龙骨的安装顺序，均应先中间，再向两边依次进行。 (√)

64. 护墙板表面若采取离缝的形式，钉护墙筋时，钉子不得钉在离缝的间距内，应钉在面层能遮盖的部位。 (√)

65. 三不放过是指事故原因分析不清不放过，事故的责任者没有查清及有关人员没受到教育不放过，没有改进和防范措施不放过。 (√)

66. 发生重大伤亡事故的在场人员，必须在事故发生后的 1h 内向安全部门报告。 (√)

67. 6 级以上强风，严禁继续高空作业。 (√)

68. 实物工程量计划完成率是：$\frac{\text{实际完全工程量}}{\text{计划完成工程量}} \times 100\%$ (√)

69. 定额工日完成率是：$\frac{\text{定额计划总工日数}}{\text{实际作出工日数}} \times 100\%$ (×)

70. 两根相同长度的构件，由于采用同种材料并截面相同，尽管两端支座情况不同，但承受压力的能力相同。(×)

71. 同种材料、截面尺寸相同的受压构件，空心的比实心的承压能力大。 (√)

72. 狭长截面的梁容易发生失稳扭转的现象。 (√)

73. 大小相等、方向相反、作用线互相平行而不共线的两个平行力称为力偶。 (√)

74. 一个物体受到一组力作用后，如不发生转动，则各作用力对任意一点的合力距为零。 (√)

75. 一个物体受到一组力作用后，如不发生平移直线运动，则各作用力的合力为零。 (√)

76. 一个物体受到一组力作用后，如仍保持原来的状态，则合力为零，且各作用力对任意点的合力距为零。(√)

77. 一个静止物体受到一组力的作用后，如果相对于不在同一地方的三个点的力矩和均为零，则此物体仍保持静止。 (√)

78. 按照荷载的作用范围，荷载可分为永久荷载和活荷载两种。 (×)

79. 按照荷载的作用范围，荷载可分为面、线荷载和集

中荷载三种。（√）

80. 按照荷载作用时间的长短，荷载可分为永久荷载和活荷载两种。（√）

81. 按照荷载作用时间的长短，荷载可分为面荷载、线荷载和集中荷载三种。（×）

82. 工程上习惯把使物体发生运动和产生运动趋势的力称为荷载。（√）

83. 力的三大要素是力、力偶和力矩。（×）

84. 力的三大要素是力的大小、力的方向、力的作用点。（√）

85. 作用力和反作用力是同时出现、单独存在的。（×）

86. 作用力和反作用力是同时出现、同时消失的。（√）

87. 一个物体的作用力和反作用力总是大小相等，方向相反，作用线相同。（×）

88. 水准线不但可以测定标高，而且可以测定角度。（×）

89. 水准仪的读数点应该是上丝处数值。（×）

90. 水准仪的读数点应该是下丝处数值。（×）

91. 水准仪的读数点应该是中丝处数值。（√）

92. 水准仪的精度应该转动调节脚螺旋来控制。（×）

93. 圆的投影图为圆。（×）

94. 球的投影图为圆。（√）

95. 立方体的投影图为矩形。（×）

96. 圆锥体的投影图为三角形。（×）

97. 圆环的投影图为同心双圆形。（×）

98. 倾斜于投影面的直线，其正投影图线变小。（√）

99. 倾斜于投影面的面，其正投影图为扩大了的面。（×）

100. 垂直于投影面的面，其正投影图为实形。（×）

101. 垂直于投影面的线，其正投影图为直线。（×）

102. 平行于投影面的线，其正投影图为直线。（√）

（二）选择题（正确答案填在每题横线上）

1. 钢的含碳量高，说明钢的强度__B__。

A. 小　B. 大　C. 中等　D. 不变

2. 合金元素含量小于__A__为低合金钢。

A.5%　B.6%　C.7%　D.8%

3. 合金元素含量是__B__为中合金钢。

A.5%～8%　B.5%～10%

C.6%～8%　D.6%～10%

4. 合金含量大于__A__为高合金钢。

A.10%　B.15%　C.20%　D.25%

5. 普通钢中磷和硫的含量小于__C__。

A. 磷 0.035%、硫 0.045%

B. 磷 0.04%、硫 0.05%

C. 磷 0.045%、硫 0.05%

D. 磷 0.045%、硫 0.06%

6. 优质钢材中磷和硫的含量小于__A__。

A. 磷 0.035%、硫 0.035%

B. 磷 0.03%、硫 0.03%

C. 磷 0.025%、硫 0.025%

D. 磷 0.02%、硫 0.02%

7. 高级优质钢中磷和硫的含量小于__B__。

A. 磷 0.03%、硫 0.03%

B. 磷 0.025%、硫 0.025%

C. 磷 0.02%、硫 0.02%

D. 磷 0.015%、硫 0.015%

8. 特级优质钢中磷和硫的含量小于__C__。

A. 磷 0.02%、硫 0.01%

B. 磷 0.03%、硫 0.02%

C. 磷 0.025%、硫 0.015%

D. 磷 0.015%、硫 0.02%

9. 碳素结构钢牌号中表示屈服点所用字母是__A__。

A.Q　　B.J　　C.D　　D.Y

10. 牌号为 Q235-AF 的沸腾碳素结构钢，其含碳量是__C__。

A.0.12%～0.20%　　B.0.13%～0.21%

C.0.14%～0.22%　　D.0.15%～0.23%

11. 牌号为 Q235-AF 的沸腾碳素结构钢，其含锰量是__B__。

A.0.30%～0.60%　　B.0.35%～0.65%

C.0.40%～0.60%　　D.0.45%～0.65%

12. 牌号为 Q235-AF 的沸腾结构碳素钢，硅的含量不大于__C__。

A.0.2%　　B.0.25%

C.0.30%　　D.0.35%

13. 牌号为 Q235-AF 的沸腾结构碳素钢，硫的含量不大于__C__。

A.0.03%　　B.0.04%

C.0.05%　　D.0.06%

14. 牌号为 Q235-AF 的沸腾结构碳素钢，磷的含量不

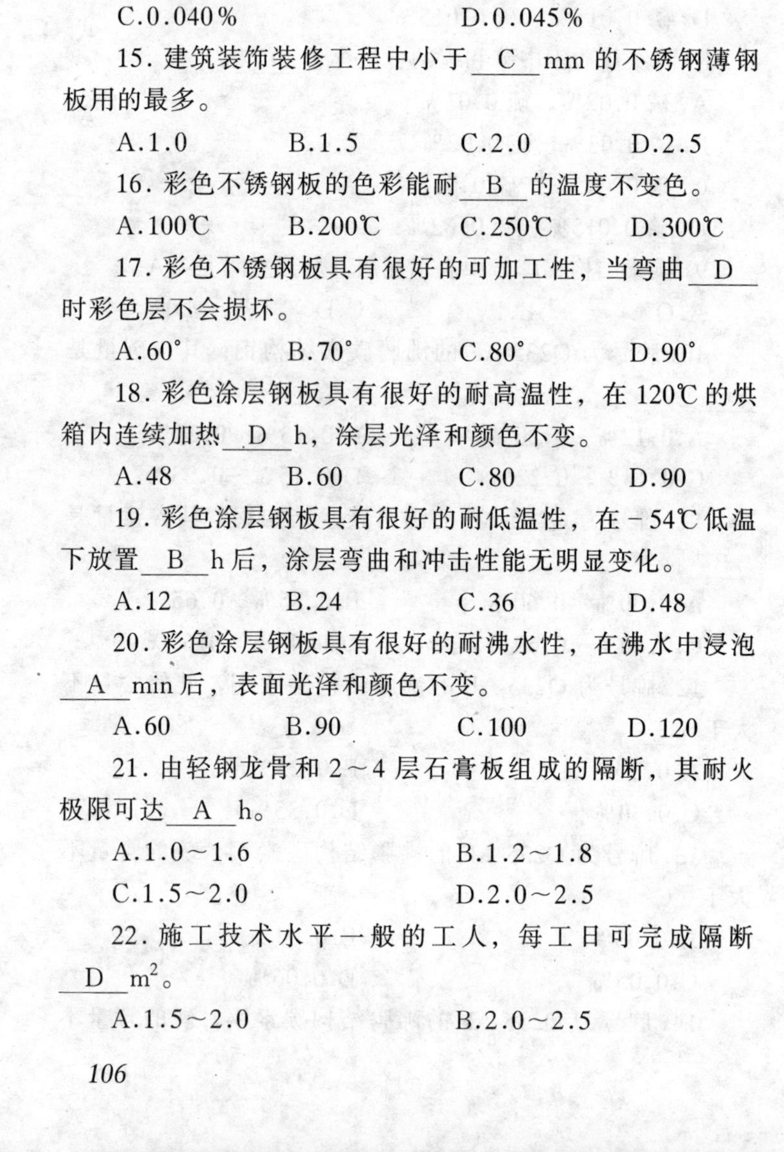

大于__D__。

A.0.030%　　B.0.035%

C.0.040%　　D.0.045%

15. 建筑装饰装修工程中小于__C__mm 的不锈钢薄钢板用的最多。

A.1.0　　B.1.5　　C.2.0　　D.2.5

16. 彩色不锈钢板的色彩能耐__B__的温度不变色。

A.100℃　　B.200℃　　C.250℃　　D.300℃

17. 彩色不锈钢板具有很好的可加工性，当弯曲__D__时彩色层不会损坏。

A.60°　　B.70°　　C.80°　　D.90°

18. 彩色涂层钢板具有很好的耐高温性，在 120℃ 的烘箱内连续加热__D__h，涂层光泽和颜色不变。

A.48　　B.60　　C.80　　D.90

19. 彩色涂层钢板具有很好的耐低温性，在 −54℃ 低温下放置__B__h 后，涂层弯曲和冲击性能无明显变化。

A.12　　B.24　　C.36　　D.48

20. 彩色涂层钢板具有很好的耐沸水性，在沸水中浸泡__A__min 后，表面光泽和颜色不变。

A.60　　B.90　　C.100　　D.120

21. 由轻钢龙骨和 2～4 层石膏板组成的隔断，其耐火极限可达__A__h。

A.1.0～1.6　　B.1.2～1.8

C.1.5～2.0　　D.2.0～2.5

22. 施工技术水平一般的工人，每工日可完成隔断__D__m^2。

A.1.5～2.0　　B.2.0～2.5

C.2.5～3.5　　　　　　　　D.3.0～4.0

23. 据静荷载试验，吊顶轻钢主龙骨的最大挠度不大于 ___C___ mm。

A.3　　　B.4　　　C.5　　　D.6

24. 据静荷载试验，吊顶轻钢次龙骨的最大挠度不大于 ___D___ mm。

A.5　　　B.7　　　C.9　　　D.10

25.Q75 系列以下的轻钢龙骨，用于层高 ___C___ m 以下的隔墙。

A.2.8　　　B.3.0　　　C.3.5　　　D.4.0

26.Q75 系列以上的轻钢龙骨，用于层高 ___C___ m 的隔墙。

A.3～4　　　　　　　　B.3.5～5

C.3.5～6　　　　　　　D.3.5～7

27. 单层石膏板隔墙的规格一般为 ___C___ 。

A. 墙厚 50mm，高度 1.5m

B. 墙厚 60mm，高度 1.8m

C. 墙厚 65mm，高度 2.5m

D. 墙厚 74mm，高度 2.7m

28. 双层石膏板隔墙的规格一般为 ___D___ 。

A. 墙厚 70mm，高度 2.0m

B. 墙厚 80mm，高度 2.5m

C. 墙厚 90mm，高度 3.0m

D. 墙厚 90mm，高度 3.5m

29. 轻钢龙骨隔断墙的规格一般为 ___A___ 。

A. 墙厚 110mm，高度 2.7m

B. 墙厚 100mm，高度 2.5m

C. 墙厚 90mm，高度 2.7m

D. 墙厚 80mm，高度 2.5m

30. 轻钢龙骨超高墙的规格一般为___A___。

A. 墙厚 150mm，高度 5m

B. 墙厚 200mm，高度 6m

C. 墙厚 238mm，高度 7m

D. 墙厚 238mm，高度 8m

31. 常用低碳钢的屈服点是___C___MPa

A.160～220　　B.180～230

C.185～235　　D.190～240

32. 常用低碳钢的抗拉强度是___D___MPa

A.300～400　　B.320～420

C.360～450　　D.380～470

33. 常用的合理屈强比是___A___。

A.0.6～0.75　　B.0.5～0.65

C.0.4～0.55　　D.0.3～0.45

34. 高纯铝的纯度为___C___。

A.99.9%～99.95%　　B.99.92%～99.98%

C.99.93%～99.99%　　D.99.95%～99.99%

35. 常用铝合金龙骨的断面形式为___D___形。

A.U　　B.C　　C.L　　D.T

36. 在所有金属中，导电性最好的是___D___。

A. 铜　　B. 铝　　C. 铁　　D. 银

37. 普通黄铜是铜与锌的合金，其中铜与锌的含量是___C___。

A. 铜 60%，锌 40%　　B. 铜 70%，锌 30%

C. 铜 80%，锌 20%　　D. 铜 90%，锌 10%

38. 国产焊条的最小直径是__D__mm。

A.1.2　　B.1.4　　C.1.6　　D.1.8

39. 国产焊条的最大直径是__C__mm。

A.5　　B.6　　C.7　　D.8

40. 焊芯牌号中带“A”字母者，其硫和磷的含量均不能超过__B__。

A.0.02%　　B.0.03%　　C.0.04%　　D.0.05%

41. 在焊条的牌子中，结构焊条用__D__字母表示。

A.E　　B.Z　　C.X　　D.J

42. 在焊条的牌子中，不锈钢焊条用__C__字母表示。

A.B　　B.D　　C.A　　D.E

43. 在焊条的牌子中，铸铁焊条用__D__字母表示。

A.D　　B.E　　C.Y　　D.Z

44. 沸腾钢的代号是__C__。

A.D　　B.C　　C.F　　D.G

45. 镇静钢的代号是__A__。

A.Z　　B.E　　C.D　　D.J

46. 限制物体作某些运动的装置称约束，链条所构成的约束称为__A__。

A. 柔性约束　　B. 光滑接触面约束

C. 铰支座约束　　D. 固定端支座约束

47. 限制物体作某些运动的装置称约束，球体被摆置在地坪面上的约束称为__B__。

A. 柔性约束　　B. 光滑接触面约束

C. 铰支座约束　　D. 固定端支座约束

48. 限制物体作某些运动的装置称约束，屋架被搁置在柱顶上的约束称为__C__。

A. 柔性约束　　　　　　B. 光滑接触面约束

C. 铰支座约束　　　　　D. 固定端支座约束

49. 限制物体作某些运动的装置称约束，挑梁被固定在墙中的约束称为__D__。

A. 柔性约束　　　　　　B. 光滑接触面约束

C. 铰支座约束　　　　　D. 固定端支座约束

50. 已知 A、B 两点的标高为 4.200m 和 4.500m，在水准测量中，如 A 点水准尺读数为 d，则 B 点的读数为__C__。

A. 小于 d　　　　　　　B. 大于 d

C. d－300　　　　　　　D. d＋300

51. 已知 A、B 两点的标高为 4.500m 和 4.200m，在水准测量中，如 A 点水准尺读数为 d，则 B 点的读数为__D__。

A. 小于 d　　　　　　　B. 大于 d

C. d－300　　　　　　　D. d＋300

52. 已知 A、B 两点的标高为 3.850m 和 3.400m，在水准测量中，如 A 点水准尺读数为 d，则 B 点的读数为__D__。

A. 小于 d　　　　　　　B. 大于 d

C. d－450　　　　　　　D. d＋450

53. 已知 A、B 两点的标高为 3.400m 和 3.850m，在水准测量中，如 A 点水准尺读数为 d，则 B 点的读数为__C__。

A. 小于 d　　　　　　　B. 大于 d

C. d－450　　　　　　　D. d＋450

54. 已知 A、B 两点的标高为 3.500m 和 3.950m，在水

准测量中，如 A 点水准尺读数为 d，则 B 点的读数为 __C__。

A. 小于 d　　　　B. 大于 d

C. d－450　　　　D. d＋450

55. 已知 A 点的标高为 3.256m，水准测量中，A、B 两点的水准尺读数为 1153mm 和 953mm，则 B 点的标高为 __B__。

A. 3.256m　　　　B. 3.456m

C. 3.056m　　　　D. ±0.000m

56. 已知 A 点的标高为 3.256m，水准测量中，A、B 两点的水准尺读数为 1153mm 和 1353mm，则 B 点的标高为 __C__。

A. 3.256m　　　　B. 3.456m

C. 3.056m　　　　D. ±0.000m

57. 已知 A 点的标高为 3.256m，水准测量中，A、B 两点的水准尺读数为 1153mm 和 1153mm，则 B 点的标高为 __A__。

A. 3.256m　　　　B. 3.456m

C. 3.056m　　　　D. ±0.000m

58. 已知 A 点的标高为 0.256m，水准测量中，A、B 两点的水准尺读数为 1153mm 和 1409mm，则 B 点的标高为 __D__。

A. 3.256m　　　　B. 3.456m

C. 3.056m　　　　D. ±0.000m

59. 已知 A 点的标高为 0.256m，水准测量中，A、B 两点的水准尺读数为 1153mm 和 1609mm，则 B 点的标高为 __D__。

A.0.256m　　　　　　B.－0.256m
C.0.200m　　　　　　D.－0.200m

60. 在总平面图上，室外标高为3.856m，室内标高为4.456m，则室内外高差为__C__mm。

A.150　　B.450　　C.600　　D.900

61. 楼梯模板安装中，其标高值应该从__D__中查阅。

A. 建筑平面图　　　　　B. 楼梯建筑大样图
C. 楼梯结构平面布置图　　D. 楼梯结构剖面图

62. 安装门框时，主要应该查阅__A__图。

A. 建筑平面图　　　　　B. 建筑剖面图
C. 结构平面图　　　　　D. 门窗表

63. 在安装楼梯模板中的三角踏步时，为踏步上抹灰的需要，踏步的水平位置按设计图纸均应__A__。

A. 向后退一个抹灰层厚度
B. 向前放一个抹灰层厚度
C. 按设计图纸定位
D. 上梯段向后退，下楼段向前放一个抹灰厚度

64. 在楼梯梯段上，垂直方向为11级，则水平方向应该为__B__。

A.9级　　B.10级　　C.11级　　D.12级

65. 在楼梯梯段上，水平方向有10级，则垂直方向应该为__C__。

A.9级　　B.10级　　C.11级　　D.12级

66. 楼梯梯段的厚度，是指__C__尺寸。

A. 垂直于水平面　　　　B. 平行于水平面
C. 垂直于梯板面　　　　D. 垂直于踏步面

67. 安装楼梯栏杆的预埋件，若图纸无说明时，应埋于

___C___。

A. 踏步面外上平　　　　B. 踏步面里上平

C. 踏步面中部　　　　　D. 随便，但须统一

68. 要查阅某一层建筑门窗洞口的宽度，一般从___B___中获得。

A. 总平面图　　　　　　B. 楼层平面图

C. 立面图　　　　　　　D. 剖面图

69. 要查阅某一墙上窗的高度，一般从___C___中获得。

A. 总平面图　　　　　　B. 楼层平面图

C. 立面图　　　　　　　D. 剖面图

70. 要查阅某一房间的层高，一般从___D___中获得。

A. 总平面图　　　　　　B. 楼层平面图

C. 立面图　　　　　　　D. 剖面图

71. 要查阅某一楼梯间的平面位置，一般从___B___中获得。

A. 总平面图　　　　　　B. 楼层平面图

C. 立面图　　　　　　　D. 剖面图

72. 要查阅房屋在地面上的平面位置，一般从___A___获得。

A. 总平面图　　　　　　B. 楼层平面图

C. 立面图　　　　　　　D. 剖面图

73. 在三面正投影图中，___A___的高相等。

A. 正立面图与侧立面图

B. 正立面图与水平投影图

C. 侧立面图与水平投影图

D. 正立面图、侧立面图、水平投影图

74. 在三面正投影图中，___B___的面长相等。

A. 水平正立面图与侧立面图

B. 正立面图与水平投影图

C. 侧立面图与水平投影图

D. 正立面图、侧立面图投影图

75. 在三面正投影图中，__C__的进深相等。

A. 水平正立面图与侧立面图

B. 正立面图与水平投影图

C. 侧立面图与水平投影图

D. 正立面图、侧立面图投影图

76. 一个面垂直于水平投影面的正立方体，其三个投影图的外形为__D__。

A. 三个不同的正方形　　B. 三个相同的长方形

C. 三个不同的长方形　　D. 三个相同的正方形

77. 一个垂直于水平投影面的正圆锥体，其立面图和侧立面图为__D__。

A. 不相同的圆　　B. 相同的圆

C. 不相同的三角形　　D. 相同的等腰三角形

78. 平行于投影面的圆，其正投影图为__B__。

A. 缩小了的圆　　B. 实圆

C. 扩大了的圆　　D. 扁圆

79. 垂直于投影面的圆，其正投影图为__B__。

A. 圆　　B. 直线　　C. 点　　D. 扁圆

80. 倾斜于投影面的圆，其正投影图为__D__。

A. 圆　　B. 直线　　C. 点　　D. 椭圆

81. 轴线垂直于正投影面的正圆锥体，其上的投影图为__B__。

A. 正方形　　B. 圆　　C. 三角形　　D. 扇形

82. 轴线平行于投影面的圆柱体，其上的正投影为 __A__。

A. 矩形　　B. 圆形　　C. 三角形　　D. 扇形

83. 建筑装饰装修工程施工图一般按__C__原理绘制的。

A. 中心投影　　B. 平行斜投影

C. 平行正投影　　D. 多点中心投影

84. 制图中的斜轴测图采用__B__原理绘制的。

A. 中心投影　　B. 平行斜投影

C. 平行正投影　　D. 多点中心投影

85. 制图中的正轴测采用__C__原理绘制的。

A. 中心投影　　B. 平行斜投影

C. 平行正投影　　D. 多点中心投影

86. 建筑装饰装修工程施工图的剖面图，一般按__C__原理绘制的。

A. 中心投影　　B. 平行斜投影

C. 平行正投影　　D. 多点中心投影

87. 点的正投影图是__A__。

A. 点　　B. 线　　C. 面　　D. 圆

88. 直线的正投影图是__D__。

A. 点　　B. 线

C. 面　　D. 可能是点，可能是线

89. 垂直于投影面的线的投影图是__A__。

A. 点　　B. 线

C. 面　　D. 可能是点，可能是面

90. 垂直于投影面的面的投影图是__C__。

A. 点　　B. 线

C. 面　　D. 可能是点，可能是面

91. 面的正投影图是___D___。

A. 点　　　　　　　　　B. 线

C. 面　　　　　　　　　D. 可能是点，可能是面

92. 在铺设木地板时，房间中靠墙的地板应___D___铺设。

A. 紧贴四边墙

B. 紧贴左右两边墙

C. 紧贴前后两边墙

D. 离开四边墙各 10cm 左右

93. 薄形硬木地板的混凝土基层处理，一般应采用___D___做法。

A. 老粉腻子批嵌

B. 水泥加 107 胶批嵌

C. 水泥砂浆抹平

D. 凿毛后再用水泥砂浆抹平

94. 木楼梯梯段靠墙踢脚板，是___C___的做法。

A. 踏步之间用三角铁拼成，上口为通长木条板

B. 都是用三角形木板作成

C. 通常木板上挖出踏步形状

D. 随便都可以

95. 在混凝土构件上采用射钉固定，射钉的最佳射入深度为___B___mm

A. 12～22　　　　　　　B. 22～32

C. 32～38　　　　　　　D. 30～42

96. 木挂镜线的接头应做成___D___接合，背面开槽，并紧贴抹灰面。

A. 平接　　　　　　　　B. 销接

C. 企口接　　　　　　　D. 企口压岔接

97. 门扇宽为600m，重10kg，采用双管弹簧铰链安装，弹簧铰链的规格为__A__。

A. 75mm　　B. 100mm

C. 125mm　　D. 150mm

98. 门扇宽为650mm，重15kg，采用双管弹簧铰链安装，弹簧铰链的规格为__B__。

A. 75mm　　B. 100mm

C. 125mm　　D. 150mm

99. 门扇宽为700mm，重20kg，采用双管弹簧铰链安装，弹簧铰链的规格为__C__。

A. 75mm　　B. 100mm

C. 125mm　　D. 150mm

100. 门扇宽为750mm，重28kg，采用双管弹簧铰链安装，弹簧铰链的规格为__C__。

A. 100mm　　B. 125mm

C. 150mm　　D. 200mm

101. 门扇宽为800mm，重32kg，采用双管弹簧铰链安装，弹簧铰链的规格为__C__。

A. 125mm　　B. 150mm

C. 200mm　　D. 250mm

102. 圆锯片锯齿的拨料中，应做到__A__。

A. 弯折处在齿高一半以上，所有的拨料量都相等，每一边的拨料量一般为锯片厚度的1.4～1.9倍

B. 弯折处在齿根，所有的拨料量都相等，每一边的拨料量一般为锯片厚度的1.4～1.9倍

C. 弯折处在齿根，所有的拨料量都相等，每一边的拨料量一般为锯片厚度的2倍以上

D. 弯折处在齿高一半以上，每一边的拨料量一般为锯片厚度的1.4~1.9倍

103. 压刨机刨刀吃刀深度，一般不超过___C___mm。

A.2　　B.2.5　　C.3　　D.3.5

104. 铝合金门框与墙体间的缝隙，应用___D___填塞密实，然后外表面再填嵌油膏。

A. 水泥砂浆　　B. 石灰砂浆

C. 混合砂浆　　D. 矿棉或玻璃棉毡

105. 安装弹簧门扇的地弹簧时，顶轴与底座中轴心要垂直于同一根线，并___D___。

A. 使底座面标高同门口处的标高

B. 用细石混凝土固定

C. 混凝土的上表面低于底座面一个装饰面层厚度

D. 底座顶面标高同门口处标高，并用细石混凝土固定，使混凝土面比底座低于一个装饰层厚度

106. 弹簧门扇安装时，如发生门扇互相"碰扇"现象，主要原因是___C___。

A. 地坪不平

B. 框的垂直度不对

C. 门扇梃侧面与弹簧的顶轴和底座轴心不平行

D. 门框安装得不平整

107. 在硬木百叶窗扇的制作中，百叶板的水平倾斜度为___C___。

A.90°　　B.60°　　C.45°　　D.30°

108. 在硬木百叶窗扇的制作中，最下面的一块百叶板的底部与下冒头应___C___。

A. 保持一定的空隙距离

B. 保持一个百叶板垂直高度的距离

C. 相互紧贴在一起

D. 相互咬进一段距离

109. 在设备基础模板工程中，地脚螺栓的一般做法为__D__。

A. 上口固定

B. 下口固定

C. 上口、下口都固定

D. 上口下口都固定，螺纹丝扣镀黄油，并包扎

110. 吊顶棚搁栅时，一般要找出起拱高度，当设计无要求时，对于7～10m跨度，一般起拱高度为__C__跨度。

A. 1/1000　　B. 2/1000

C. 3/1000　　C. 4/1000

111. 吊顶棚搁栅时，一般要找出起拱高度，当设计无要求时，对于10～15m跨度，一般起拱高度为____跨度。

A. 3/1000　　B. 4/1000

C. 5/1000　　C. 6/1000

（三）计算题

1. 某装饰装修工程中，方柱包成圆柱，经测量得知，方柱四边中最长边为520mm，装饰圆柱设计直径为800mm，试求弦样板的矢高。

2. 一单扇平开铝合金门，洞口宽度为1000mm，安装缝宽两侧均为25mm，门框选用76mm×44mm扁方管铝合金型材，试计算门扇的下料宽度。

3. 一90系列铝合金推拉窗，窗外围尺寸宽×高为1450mm×1750mm，上窗高度为500mm，试计算两条边封长度。

4. 某装饰装修工程中，钢结构预埋连接件采用Ⅱ级钢

筋作为锚筋，试求该锚筋的锚固长度。

5. 用1∶50的比例，画出双层双扇平开窗的立面图和平面图，窗洞口尺寸为1200×1800。

6. 用1∶60的比例，画出双扇外平开窗的立面图和平面图，窗洞口尺寸为1200×1800。

7. 用1∶60的比例，画出双扇内平开窗的立面图和平面图，窗洞口尺寸为1200×1800。

8. 用1∶50的比例，画出双层双扇平开窗的立面图和平面图，窗洞口尺寸为1200×1800。

9. 用1∶100的比例，画出双扇双面弹簧门的立面图和平面图，门洞口尺寸为1800×2400。

10. 用1∶100的比例，画出一玻一纱平开门的立面图和平面图，门洞口尺寸为900×2200。

（四）简答题

1. 钢材按化学成分不同可分哪几种？

答：碳素钢、合金钢。

2. 钢材按用途不同可分为哪几种？

答：建筑钢、结构钢、工具钢、特殊性能钢。

3. 钢材按脱氧程度不同可分为哪几种？

答：沸腾钢、镇静钢、半镇静钢、特殊镇静钢

4. 建筑工程中常用的钢材有哪几种？

答：碳素结构钢、低合金高强度结构钢。

5. 轻钢龙骨有哪些方面的特点？

答：自身质量较轻、防火性能好、施工效率较高、结构安全可靠、抗冲击性能好、抗振性能良好。

6. 钢材的冷弯性能指的是什么？

答：钢材常温下承受弯曲的变形能力。

7. 钢材的冲击韧性指的是什么?

答：钢材抵抗冲击荷载而不破坏的能力。

8. 挤压法是金属加工的主要方法，一般可分为哪几种?

答：正挤压、反挤压、正反联合挤压。

9. 阳极氧化的方法有哪几种?

答：铬酸法、硫酸法、草酸法。

10. 铝合金装饰板的主要优点有哪些方面?

答：质量轻、不燃烧、耐久性好、施工方便、装饰华丽。

11. 铝合金压型板的主要优点有哪些方面?

答：质量轻、外观美观、耐久性好、安装容易、表面光亮、可反射阳光。

12. 电焊条由哪几部分组成?

答：焊芯、药皮。

13. 工程中应用最广的的焊条是哪几种?

答：碳素焊条、低合金钢焊条。

14. 如构件受力较大,母材质量较好,一般选用什么焊条?

答：酸性焊条。

15. 含碳量较高的钢材，厚度较大、形状复杂，一般选用什么焊条?

答：碱性焊条。

16. 什么是劳动定额? 施工劳动定额中的产量定额与人工定额有什么关系? 各自如何使用?

答：在合理的劳动组织和合理使用材料的条件下，完成符合质量要求的单位产品必需的工作时间或单位工日完成符合质量要求的产品的数量。产量定额与时间定额互为倒数关系，工程量除以产量定额得人工数，或工程量乘以时间定额，均可得到工日数。

17. 什么叫混凝土施工缝？施工缝应留在什么地方？

答：为了施工方便等的原因，在混凝土构件中，不同施工工期之间的间隔缝叫施工缝。留施工缝应避开剪力最大的地位，尽量处于剪力最少的地位。柱子的施工缝留在基础顶，距离梁底5～8cm，有主侧梁的楼面板体系，次梁留在跨中1/3长度范围内，主梁留在跨中1/4长度范围内。

18. 如何保证钢窗的安装质量？

答：（1）安装前熟悉图纸，按图纸和设计要求进行施工；

（2）安装前查对现场与到场钢门窗的质量，如发现问题应合理处理后再做下道工艺；

（3）按设计要求，各种型号的钢窗分发到各安装点；

（4）安装时，要准备进行弹线画记号，做到上下垂直，左右水平一致，进出统一的安装就位后，就应立即合理用木楔临时固定，应尽快用水泥砂浆将铁脚固定1d之后方可拆去木楔；

（5）留好窗框与窗口壁之间的粉刷空隙。

19. 产品保护有什么意义？需采取哪些措施？

答：产品保护指成品最终产品的保护，只有对成品和半成品妥善保护，才能保护最终产品的质量，不但要保护本工种的产品，还要保护好其他工种的产品，不损坏和污染，这是我们的职业责任。

（1）首先要形成良好的产品保护意识，形成责任性；

（2）要针对产品的对象、环境因素、现有的条件，使用阻挡接触、覆盖遮挡、加固增强、正确养护等方法；

（3）在施工方案的编制中，要合理安排各工种、工艺工序的流线和程序，以免发生不利于产品保护的矛盾。

20. 材料在外力作用下有哪些变形？变形的大小与哪些因素有关？

答：(1) 在外力作用下，有弹性变形和塑性变形；

(2) 变形的大小与力的大小和受力的方式、材料的几何尺寸、材料本身的特性有关。

21. 怎样看吊顶的施工详图？

答：吊顶又称平顶、顶棚。吊顶按其材料不同，又分有板条吊顶和板材吊顶，先以板条吊顶为例，说明如何看吊顶的施工详图。首先要了解吊顶的平面布置、标高。其次要了解吊顶的构造，如平顶由平顶梁（也称主龙骨）、平顶筋（也称次龙骨）、吊筋、支撑、板条所组成。了解它们之间的相互关系、位置、间距、材料断面、材质等，此外还要看图中的文字说明。

22. 怎样看木隔墙施工详图？

答：木隔墙又称木隔断，是非承重墙，按其面层材料不同又分为隔条隔墙和板材隔墙。近年来，板材隔墙中除了有木龙骨外，还有轻型钢做龙骨的。

看木隔墙施工图时，首先要看隔墙所在平面位置、标高、厚度，再看详细构造，了解上槛、下槛、立筋、横撑、面层等材料的断面、间距、材质、连接方法以及门窗洞的位置等，注意图中的文字说明。

23. 怎样看标准图集和定型图集？

答：标准图集和定型图集在土建工程中应用较多，为了使你选用的图符合设计意图，必须学会看标准图集和定型图集，根据设计选用图集型号，首先必须认真看好编制说明，懂得图中代号的意义、造型方法。了解制作与安装要求，然后再根据所选用的型号或节点对号入座。

24. 看图纸标题栏，可以了解哪些内容？

答：图纸标题栏，简称图标，图标应设在图纸右下角，从图标上我们可以看到本工程的设计单位，有关设计人员，本工程的名称，本张图纸的名称，在图号区一般都标有建筑施工图或结构施工图以及水电安装图的代号，以便查阅。

25. 对于分项工程质量的评定标准，从哪三个方面去评定？各自的一般含义是什么？

答：一般有三种：

(1) 保证项目：即必须符合要求，不可有一点错处的项目。

(2) 基本项目：即基本上达到的项目标准，一般的抽查检查。

(3) 允许偏差的项目：由于操作上必定要存在的偏差，故规定允许偏差的范围。

26. 分析门窗自关和自开的原因。

答：(1) 安合页的一边门框立梃不垂直，往开启方向倾斜，扇就自开；往关闭方向倾斜，门就自行关闭。

(2) 合页进框（横向）较多，扇和框碰撞，或螺丝突出合页面，门就被顶开。

27. 分析双扇窗立面上高低不平的原因。

答：(1) 左右两门梃立得不垂直，门窗按梃装就两梃之间有一定高度差；

(2) 门扇装在梃上的垂直位置不统一；

(3) 合页进扇或进梃的深度不统一。

28. 分析门扇在关闭时下冒头碰地的原因。

答：(1) 地坪标高不对，泛水坡度过分大；

(2) 门扇的下风缝留得过于小；

(3) 门梃立得不垂直;

(4) 门没有“作方”。

29. 分析双扇自由门在关闭时磕碰的原因。

答:(1) 门框的梃立得不垂直;

(2) 门与门之间的风缝吊得太小;

(3) 合页进深(进梃、进扇的)深度不统一;

(4) 门扇上下的厚度不对。

30. 分式锁安装好后风吹门响的原因。

答:(1) 锁的舌头与舌头窝之间的空隙过大;

(2) 锁舌头窝安装的位置不准, 离开梃内侧的距离过大。

31. 分别说明建筑工程中建筑施工图与结构施工图的特点。

答: 建筑施工图是反映了房屋建筑的布置情况,从中了解到房间的布置、装修要求的做法,房建结构施工图是反映了结构布置情况,从中了解到各受力构件中的布置及施工要求。

32. 如何看结构施工平面图?

答: 结构施工平面图是按房屋分层绘制的结构部件的平面位置布置图, 首先要看清层次, 然后再看该层次的结构布置情况, 即承重墙、柱、梁、板条编号, 再按照构件编号查看大样图节点详图、标准图。

33. 建筑施工图上索引标志的作用是什么? 如何表示?

答: 索引标志是用来表达详图的符号, 表示方法有以下几种:

(1) 详图在本张图纸上。

(2) 详图不在一张图纸上。

(3) 采用图标或地方标准时。

34. 试述“水柱法”确定吊顶水平标高线的操作方法。

答：用一条灌满水的透明软管，一端水平面对准墙（柱）面上的高度线，另一端在同侧墙（柱）面找出另一点，当软管内水平面静止时，画下该点的水平面位置，连接两点即得吊顶高度水平线，此放线的方法称为“水柱法”。确定标高线时，应注意一个房间的基准高度线只能用一个。

35. 简述装饰钢结构与建筑主体连接时后置连接件设置时应注意的问题。

答：(1) 当主体结构为钢筋混凝土时，如果没有条件采取预埋件时，应采取其他可靠的连接措施，并应通过实验决定其承载力。这种情况下通常采用膨胀螺栓，膨胀螺栓是后置连接件，工作可靠性较差，必须确保安全，留有充分余地。有些旧建筑改造按计算只需一个膨胀螺栓，实际应设置2～3个螺栓，这样安全度大一些。

(2) 无论是新建筑还是旧建筑，当主体为实心砖墙时，不允许采用膨胀螺栓来固定后置连接件，必须用钢筋穿透墙体，将钢筋的两端分别焊接到墙两侧两块钢板上，做成加墙板的形式，然后再将外墙板用膨胀螺栓固定墙体上。钢筋与钢板的焊接，要符合国家焊接工规范。当主体为轻体墙时，如空心砖加气混凝土砖时，不但不能采用膨胀螺栓固定后预埋件，也不能简单的采用加墙板形式，应根据实际情况，采加固措施。

36. 简述装饰柱体骨架结构的制作工序。

答：装饰柱体的钢骨架用角钢焊接制作，其柱体骨架结构的制作工序为：竖向龙骨定位→横向龙骨与竖向龙骨连接组框→骨架与建筑柱体的连接固定→骨架形体校正。

37. 试述方柱装饰成圆柱的弹线方法——“弦切法”的

弹线操作方法。

答:(1) 确立基准方柱底框

因为建筑上的结构尺寸有误差，方柱也不一定是正方形，所以必须确立方柱底边的基准方框，才能进行下一步的画线工作，确立基准底框的方法为：测量方柱的尺寸，找出最长的一条边；以该最长边为边长，用直角尺在方柱弹出一个正方形，该正方形就是基准方框，并需将该方框的每条边中点标出。

(2) 制作样板

在一张纸板上或三夹板上，以装饰圆柱的设计半径画一个半圆，并剪下来，在这个半圆上，以标准底框边长的一半尺寸为宽度，做一条与该半圆形直径相平行的直线。然后从平行线处剪这个半圆，所得到的这块圆板，就是该柱的弦切样板。

(3) 画线

以该样板的直边，靠近基准底边的四个边，将样板的中点线对准基准底框边长的中心。然后沿样板的圆弧边画线。这样就得到了装饰圆柱的底圆。顶面的画法方法基本相同。但基准顶框画出，必须通过与底边框吊垂直线的方法来获得，以保证地面与顶面的一致性和垂直度。

38. 简述柱体骨架的检查内容及校核方法。

答：柱体龙骨架连接固定时，为了保证形体准确性，在施工过程中应不断地对框架的歪斜度、不圆度、不方度和各条横向龙骨与竖向龙骨连接的平整度进行检查。

(1) 歪斜度检查。在连接好的柱体龙骨架顶端边框线上，设置吊垂线，如果吊垂线下端与柱体的边框平行，说明柱体没有歪斜度。如果垂线与骨架不平行，就说明柱体有歪斜度，吊垂线检查应由柱体周围进行，一般不少于 4 点位置。柱高 3m 以下者，允许歪斜度误差在 3mm 以内，柱高 3m 以上者，其允许歪斜度误差在 6mm 以内。如超过误差值就必须进行修整。

(2) 不圆度。柱体骨架的不圆度，经常表现为凸和凹，这将对饰面的安装带来不便，进而严重影响装饰效果。检查不圆度的方法采用垂线法：将圆柱上下边用垂线相接，如中间骨架顶弯细垂线，说明柱体鼓肚；如果细垂线与中间骨架有间隔，说明柱体内凹。柱体表面的不圆度误差值不得超过 ±3mm。超过误差值的部分应进行修理工整。

(3) 不方度。不方度检查较简便，只要用直角铁尺由柱的四个边角上分别测量即可，不方柱度的误差值不得大于 3mm。

(4) 平整修边。柱体龙骨架连接、校正、固定之后，要对其连接部位和龙骨本身的不平整处进行修平处理。对曲面柱体中竖向龙骨要进行修边，使之成曲面的一部分。

(5) 柱体骨架与建筑柱体的连接

为保证装饰柱体的稳固，通常在建筑的原柱体上安装支撑杆件，使之与装饰柱体骨架相固定连接。支撑杆可用角钢来制作，并用膨胀螺栓或射钉与柱体连接。其另端与装饰柱体骨架连接或焊接。支撑杆应分层设置，在柱体的高度方向上，分层的间距为 800～1000mm。

39. 简述建筑装饰装修工程的任务与作用。

答：任务：用建筑材料及其制品或用雕塑、绘画等装饰性艺术品，对建筑物室内外进行装饰和装修，以满足房屋建筑的使用功能和美观要求，并保护主体结构在室内外各种环境因素作用下的稳定性和耐久性。

作用：（1）保护结构：免遭风、霜、冰雪、日晒、雨淋、有害介质、火、……直接侵袭；

（2）改善功能：隔声、隔热、清洁卫生，温、湿、光、声调节；

（3）美化环境：质感、色彩、造型、……。

40. 吊顶按构造分为哪几种形式？

答：构造形式有：

（1）整体式吊顶—灰板条、钢丝网、轻钢龙骨、麻纸顶棚；

（2）活动式装配吊顶—即铝明架吊顶；

（3）隐蔽式装配吊顶—即暗插龙骨吊顶；

（4）开敞式吊顶—以特定形式的单元体组合而成，面层敞口。

41. 钳工操作时应注意哪些问题？

答：（1）操作人员进入车间应戴好本工种规定的防护用品，并检查操作环境是否符合安全要求。

（2）高空作业必须经医生进行体格检查，必须戴安全带，不准穿滑底鞋。

（3）工作前应检查工具是否良好，不得有缺口、裂纹、起花等现象。工具不要放在工作物或机器上。高空作业时，工具应放在工具袋内。

（4）人力搬运材料或设备时，要清理好通道，两人以上工作，应互相呼应，轻起轻放。头重脚轻的物体要支撑稳定。

（5）工作台上装设多种机具时必须留有一定的间隔距离，以免互相干扰。台上虎钳夹的工件要夹紧，所夹工件不得超过虎钳口最大行程的2/3，夹工件时不得用力过猛，切不得用套管套进钳柄加力，或用铁具敲打。

(6) 有关电气设备检修安装应由电业工作人员进行，不得随便乱动。

(7) 操作时要注意到周围上下环境岗位应干燥洁净。电源有适当距离，防止触电、滑倒等事故，打大锤时协助人员不得相互面对且要注意避免锤头或工作物飞出伤人。

(8) 在金属设备上或容器内使用动力电源（如手电钻，手砂轮等），除必须使用合格的胶皮线外，还必须设专人监护负责操作看管电源开关，如发现问题，立即切断电源。操作人员必须戴绝缘手套，脚下必须踏在干燥木板上或胶皮垫上，以防触电。

(9) 拧紧螺栓时要检查扳手或螺丝有无裂纹损坏，拧紧时不要用力过猛，必须看其材质大小、松紧程度来决定工具套上管子使用。

(10) 使用梯子时，为了防止打滑，下面应有人扶。不准在梯子上使用电钻或抬工作物。

(11) 钻、锉磨出的铁屑，应用毛刷清除，禁止用手抹或口吹。

(12) 使用机械在转动中，不得更换工具、浇注润滑油和禁止用手来制动。

(13) 使用的纱头、油布要放在指定地点，以免引起火灾。用纱头揩手时要注意纱团有无铁屑。

(14) 检修机械或拆卸机械前应切断电源，电气部分由电工进行。机械在试运转前对所安装的零件、安全设施以及各传动系统等应进行详细检查，合格后方可试运转。谁修理、谁试车，如多人参加试车，应由专人负责，明确分工。试运转时，不应让非工作人员入内。

(15) 设备就位时先放置临时垫铁，注意防止压手。两人以上找平找正一台设备时，必须紧密配合，步调一致，防止头重脚轻的设备倾倒伤人和损坏。

（16）用汽油清洗工作时要在通风良好地方进行并严禁烟火，清洗完后应将废汽油集中在指定安全地点。

（17）工作完毕后，虎台钳不准夹有工件，所有使用工具应擦拭干净按指定地方分别存放，不得杂乱无章地堆放在一个工具箱内。工件堆放整齐，清扫好现场才离开。

二、实际操作部分

1. 题目：吊顶轻钢龙骨安装（次龙骨间距 450mm）

选级高度 150mm　考核数量 $1.8 \times 1.8m^2$

考核项目及评分标准

序号	考核项目	检查方法	测量	允许偏差	评分标准	满分	得分
1	吊顶标高及选级高度	观察、尺量	任意	±3mm	超过误差标准每点扣2分	10	
2	吊点、后置埋件设置	观察、拉拔试验	任意		吊点间距、数量不符合设计要求扣2分，吊点稳固不符合要求扣3分	10	
3	吊杆的选择及与吊点的连接	观察、手扳	任意		吊杆选择不符合设计要求扣3分，吊杆与吊点连接方式及稳固不符合要求扣3分	10	

续表

序号	考核项目	检查方法	测量	允许偏差	评分标准	满分	得分
4	龙骨的材质、规格、安装间距、连接方式	观察、尺量	任意		不符合要求扣3分	10	
5	龙骨的平整度及起拱度	用2m靠尺和塞尺检查	任意	3	不符合要求扣2分	10	
6	饰面材料材质、品种、规格、颜色、图案	观察、合格证	任意		不符合要求扣2分	5	
7	饰面板表面平整度	用2m靠尺和塞尺检查	任意	2mm（纸面石膏板3mm）	不符合要求扣3分	5	
8	接缝平直度	拉5m线，不足5m拉通线，用钢直尺检查	任意	3mm（金属板1.5mm）	不符合要求扣3分	5	
9	接缝高低差	用钢直尺和塞尺检查	任意	1mm（矿棉板1.5mm）	不符合要求扣3分	5	
10	工艺操作规程				错误无分，局部错误扣1～9分	10	
11	安全生产				有事故无分，有事故隐患扣1～4分	5	

续表

序号	考核项目	检查方法	测量	允许偏差	评分标准	满分	得分
12	文明施工				工完料不清扣5分	5	
13	工效				低于定额90%无分，在90%～100%之间酌情扣分，超过定额者，酌情加1～3分	10	

2. 项目：隔墙轻钢龙骨安装

考核项目及评分标准

序号	考核项目	检查方法	测量	允许偏差	评分标准	满分	得分
1	轻钢龙骨的材质及规格	观察、合格证	任意		不符合要求扣3分	10	
2	边框龙骨与基体连接	观察、手扳	任意		连接点符合要求，连接牢固，不符合要求每点扣3分	15	
3	龙骨间距及构造方法正确牢固	观察、手扳	任意		不符合要求每点扣3分	15	

续表

序号	考核项目	检查方法	测量	允许偏差	评分标准	满分	得分
4	龙骨架平整、垂直、位置正确	观察，2m 靠尺、塞尺、垂直检查尺	任意	3mm	不符合要求每点扣 3 分	10	
5	钢结构防锈、防腐处理	观察	任意		不符合要求扣 2 分	10	
6	工艺操作规程				错误无分，局部错误扣 1～14 分	15	
7	安全生产				有事故无分，有事故隐患扣 1～9 分	10	
8	文明施工				工完料不清扣 10 分	10	
9	工效				低于定额 90% 无分，在 90%～100%之间酌情扣分，超过定额者，酌情加 1～3 分	15	

3. 项目：方柱面不锈钢饰面板

考核项目及评分标准

序号	考核项目	检查方法	测量	允许偏差	评分标准	满分	得分
1	选材：饰面板品种、规格、性能	观察、合格证	任意		不符合要求每点扣3分	10	
2	板材裁板下料	尺量	任意	1mm	不符合要求每点扣3分	10	
3	黏结材料选择	观察、合格证	任意		不符合要求每点扣3分	10	
4	板材黏结表面平整	观察2m靠尺和楔形塞尺检查	任意	3mm	不符合要求每点扣2分	10	
5	板材黏结阴阳角方正	用200mm方尺检查	任意	3mm	不符合要求扣2分	10	
6	板材黏结接缝平直	拉5m线检查，不足5m拉通线检查		0.5mm	不符合要求扣2分	10	
7	板材粘贴接缝高低	用直尺和楔形塞尺检查		1mm	不符合要求扣2分	10	
8	工艺操作规程				错误无分，局部错误扣1~9分	10	

续表

序号	考核项目	检查方法	测量	允许偏差	评分标准	满分	得分
9	安全生产				有事故无分，有事故隐患扣1～4分	5	
10	文明施工				工完料不清扣5分	5	
11	工效				低于定额90%无分，在90%～100%之间酌情扣分，超过定额者，酌情加1～3分	10	

4. 项目：铝塑板墙面（铝合金复合板）

考核项目及评分标准

序号	考核项目	检查方法	测量	允许偏差	评分标准	满分	得分
1	选材：饰面板品种、规格、性能	观察、合格证	任意		不符合要求每点扣3分	10	
2	板材裁板下料	尺量	任意	1mm	不符合要求每点扣3分	10	
3	黏结材料选择	观察、合格证	任意		不符合要求每点扣3分	10	

续表

序号	考核项目	检查方法	测量	允许偏差	评分标准	满分	得分
4	板材黏结表面平整	观察2m靠尺和楔形塞尺检查	任意	3mm	不符合要求每点扣2分	10	
5	板材黏结阴阳角方正	用200mm方尺检查	任意	3mm	不符合要求扣2分	10	
6	板材黏结接缝平直	拉5m线检查，不足5m拉通线检查		0.5mm	不符合要求扣2分	10	
7	板材粘贴接缝高低	用直尺和楔形塞尺检查		1mm	不符合要求扣2分	10	
8	工艺操作规程				错误无分，局部错误扣1～9分	10	
9	安全生产				有事故无分，有事故隐患扣1～4分	5	
10	文明施工				工完料不清扣5分	5	
11	工效				低于定额90%无分，在90%～100%之间酌情扣分，超过定额者，酌情加1～3分	10	

5. 项目：不锈钢包门框

考核项目及评分标准

序号	考核项目	检查方法	测量	允许偏差	评分标准	满分	得分
1	选材品种、规格、性能	观察、合格证	任意		不符合要求每点扣3分	10	
2	选型、尺寸	尺量	任意	3mm	不符合要求每点扣3分	10	
3	固定方法	手扳	任意		不符合要求每点扣3分	10	
4	正、侧面垂直度	用1m垂直检测尺检查	任意	3mm	不符合要求每点扣3分	10	
5	上口水平度	用1m水平检测尺和塞尺检查	任意	1mm	不符合要求每点扣3分	10	
6	上口直线度	拉5m线，不足5m拉通线，用钢直尺检查	任意	3mm	不符合要求每点扣3分	10	
7	工艺操作规程				错误无分，局部错误扣1～9分	10	
8	安全生产				有事故无分，有事故隐患扣1～4分	10	

续表

序号	考核项目	检查方法	测量	允许偏差	评分标准	满分	得分
9	文明施工				工完料不清扣5分	10	
10	工效				低于定额90%无分，在90%～100%之间酌情扣分，超过定额者，酌情加1～3分	10	

第三章　金属工高级工

一、理论部分

（一）是非题（对的打“√”，错的打“×”）

1. 钢材按化学材料不同可分为碳素钢和合金钢两种。（√）

2. 钢材按脱氧程度不同可分为沸腾钢和镇静钢、半镇静钢和特殊镇静钢四种。（√）

3. 平炉钢的主要燃料是煤和煤气。（×）

4. 由于碳对其起决定性作用故称碳素钢。（√）

5. 碳素钢是强度和韧性均较优良的钢材。（×）

6. 根据合金元素的含量不同，合金钢可分为低合金钢、中合金钢、高合金钢。（√）

7. 化学成分、力学性能和工艺性能是国家标准规定的对碳素钢的技术要求指标。 (√)

8. 低合金高强度钢的牌号中应含有屈服点、屈服点数值和质量等级三个方面的内容。 (√)

9. 在钢材的选用上，既要考虑其性能、质量、标准，又要考虑工程对钢材性能的要求。 (√)

10. 承受静荷载的结构一般选用 Q235-D 号钢材。 (√)

11. 冷加工处理后的 Q215 钢材可代替 Q235 钢材使用。 (√)

12. 铬在钢材中的含量越高，说明钢的抗腐蚀性能越好。 (×)

13. 钢材的屈服点对应的是应力-应变图中的 B 上点。 (×)

14. 屈强比是钢材屈服点与抗拉强度的比值。 (√)

15. 钢材的屈强比越小，说明结构的安全性越低。 (×)

16. 钢材的伸长率表明的是钢材塑性变形能力。 (√)

17. 钢材塑性变形能力可避免结构局部超载和振动引起的实验破坏。 (√)

18. 钢材的冷弯实验的主要目的，是揭示内部组织、内应力和杂物等方面的问题。 (√)

19. 脆性临界温度是钢材呈脆性时对应的温度。 (√)

20. 脆性临界温度越低，说明钢材的低温冲击性能越差。 (×)

21. 钢材时效敏感性是因时效而导致性能改变的过程。 (√)

22. 钢材在常温下承受弯曲变形能力，表明的是钢材的冷弯性能。 (√)

23. 钢材承受冲击荷载的破坏能力，表明的是钢材的冲击韧性。（×）

24. 阳极氧化的主要方法有铬酸法、硫酸法和草酸法。（√）

25. 铝型材着色处理常用的方法是自然着色法和电解着色法。（√）

26. 钢材的抗拉强度与疲劳强度总呈正比关系。（√）

27. 钢材的疲劳极限，不仅与其内部组织有关，同时也与其表面质量有关。（√）

28. 在纯铝中加入其他元素而形成的铝合金，虽保持质量较轻的优点，但其机械性能有明显的下降。（×）

29. 高合金硬铝虽具有强度和硬度较高的特点，但其塑性和抗腐蚀性却较差。（√）

30. 铝的硬度越高，其抗腐蚀性能越低。（√）

31. 在合金液中加入钠盐混合物的目的是为提高铸造铝的强度和塑性。（√）

32. 铝合金浅色花纹板比普通铝板的刚度大10%。（×）

33. 铝合金浅色花纹板对白光的反射率最高可达75%。（×）

34. 铝合金浅色花纹板对热的反射率最高可达95%。（√）

35. 在特定的电解液和电解条件下，进行阳极氧化着色方法为铝型材的自然着色法。（√）

36. 在商品金属中，导电性最好的是银。（×）

37. 普通黄铜其铜的含量为80%。（√）

38. 在普通黄铜中含有20%的锌。（√）

39. 国产焊条的最小直径是1.2mm。（×）

40. 焊条是由焊芯、灰层和药皮三部分组成的。（×）

41. 焊条药皮的作用主要是保护焊芯而设置的。（×）

42. 在焊条牌子中带有字母 A 者，其磷和硫的含量不能超过 0.03%。（√）

43. 焊条牌子中带有 J 字母者为结构焊条。（√）

44. 焊条牌子中带有 A 字母者为不锈钢焊条。（√）

45. 按焊条药皮类型，焊条可分为酸性和碱性焊条二种。（√）

46. 房屋中围护结构不作承重结构，因为围护结构的材料力学性能差。（×）

47. 房屋中的伸缩缝和沉降缝都是为了适应房屋变形而设置的构造措施，因而可以相互代替。（×）

48. 水泥砂浆不宜与铝合金门框直接接触，是因为水泥砂浆容易开裂。（×）

49. 雨篷板在雨篷梁的下口比上口好，是因为前者的墙身不容易渗水。（√）

50. 高层建筑除了考虑垂直的荷载外，还要考虑水平方向的受力情况，因而它受力情况复杂，强度也要求高。（√）

51. 建筑施工中所用的图纸，都叫施工图。（√）

52. 全面质量管理就是对全行业的全体人员进行质量管理。（√）

53. 按电焊焊渣特性来分类，焊条有酸性和碱性两种。（×）

54. 施工方法就是施工方案。（×）

55. 建筑中的变形缝就是指伸缩缝、沉降缝、防震缝。（√）

56. 工人在外脚手架上操作时，材料、工具等物不可斜

靠在墙上，应该直接放置在脚手架上。（√）

57. 因果图是反映质量与原因之间的质量关系，排列图是反映质量与原因之间的数量关系。（√）

58. 影响工序质量的因素是：人、设备、材料、方法、环境5个方面。（√）

59. 因果图中的质量部分由大质量、中质量、小质量、细质量等组成，故又称大技、中技、小技、细技。（×）

60. 因果图由原因和结果两部分组成，结果指存在的质量问题，写在左边，原因指影响质量的因素，写在右边。（×）

61. 因果图中用方框框起来的原因，是表示影响质量问题的重要原因，作为制定质量改进措施的重点考虑对象。（√）

62. 审核图纸主要是为了发现图纸上的错误。（×）

63. 审核图纸主要是为了熟悉图纸，便于施工。（×）

64. 审核图纸主要是为了向设计人员提意见。（×）

65. 审核图纸主要是为了提出方便于自己施工的意见。（×）

66. 施工前的图纸会审，一般由甲方召集，业主、设计、施工等单位有关人员参加，会后形成由甲方起草共同签字的“会审备忘录”。（√）

67. 针对一个建筑物的施工组织设计叫做单位工程施工组织设计。（√）

68. 针对一个分项工程一个工艺步骤的施工组织设计，叫做施工组织总设计。（×）

69. 施工组织设计中的施工平面图，是进行施工现场布置的依据。（√）

70. 施工方案是施工组织设计中带有决策性的重要环节，它主要包括施工顺序和施工方法。 (√)

71. 单位工程施工组织设计中的施工进度计划，实际上就是各班组的作业计划。 (×)

72. 在艺术吊顶中，反光灯槽平顶与发光平顶的构法做法不同之处，是发光源是否直接与间接地照明整个室内空间。 (×)

73. 施工中的脚手架，可以作为支撑模板的支承点。 (×)

74. 脚手架的系墙加固连接点，不可因影响操作而随意私自拆去。 (√)

75. 脚手架上允许堆料荷载不得超过 $2700N/m^2$。 (√)

76. 脚手架的每步高度，一般为 2m。 (×)

77. 外墙脚手架的操作高度超过三层时，应加设安全网。 (×)

78. 工艺卡就是班组作业方案和作业计划。 (×)

79. 对于所有的分项工程，都要做好隐蔽工程验收，只有这样，才能确保施工质量。 (×)

80. 施工平面布置图是由建设单位或由设计单位编制而成的。 (×)

81. 施工现场预制构件布置图是由土建施工单位单独编制绘成的。 (×)

82. 施工平面布置图中应该包括三通一平情况的布置。 (√)

83. 沸腾钢、镇静钢、半镇静钢和特殊镇静钢是按脱氧程度不同来划分的。 (√)

84. 根据国家标准规定，低合金高强度钢编号中，应包

含屈服点字母、屈服点数值和质量等级。（√）

85. 在轻钢龙骨中，主龙骨又称为承重龙骨。（√）

86. 在轻钢龙骨中，次龙骨又称为覆面龙骨。（√）

87. 在轻钢龙骨中，吊顶龙骨可分为主龙骨和次龙骨。（√）

88. 轻钢龙骨中的隔断龙骨分为主龙骨和次龙骨。（×）

89. 装饰装修工程中，轻钢龙骨的主要技术要求内容是外观质量、角度允许偏差、内角半径、尺寸偏差和力学性能。（√）

90. 隔墙轻钢龙骨的主件有：沿地龙骨、竖向龙骨、加强龙骨和贯通龙骨。（√）

91. 顶棚轻钢龙骨，据承载能力的大小可分为主龙骨和次龙骨。（×）

92. 建筑装饰装修用钢材力学性质的主要指标是屈服强度和抗拉强度。（√）

93. 碳素钢和合金钢是按钢的含量来区别的。（×）

94. 建筑装饰装修工程中常用的钢材是不锈钢和彩色不锈钢。（√）

95. 在纯铝中加入镁、锰、铜、锌和硅元素后而形成铝合金。（√）

96. 硬铝合金又称杜拉铝。（√）

97. 平开铝合金窗按开启的方向可分为外开窗和内开窗。（√）

98. 平开铝合金窗由窗框、窗扇、窗梃和启闭构件组成。（√）

99. 铝合金地弹簧门由门框、门扇、门梃和地弹簧等构成。（√）

100. 铝合金波纹板主要用于墙面和屋面装饰。 (√)

101. 铜的冶炼方法有火法冶炼和湿法冶炼。 (√)

102. 具有光反射能力强、质轻、高强、抗振、防火、防潮、隔热、保温、耐蚀等优良性能的装饰板是铝合金波纹板。 (√)

103. 具有坚硬、抗弯优良性能的钉子是自攻螺钉。 (×)

104. 装修装修工程中常用的螺栓有金属和非金属螺栓两种。 (√)

105. 碳钢焊条和低合金钢焊条是工程中常用的两种焊条。 (√)

106. 在焊条型号中，带有“0”和“1”数字的焊条是全位置焊接的焊条。 (√)

107. 当构件受力较简单，母材质量较好，一般用碱性焊条焊接。 (×)

108. 含碳量较高的钢材，厚度较大，形状复杂时，一般用酸性焊条焊接。 (×)

109. 含碳量大于2.06%的铁碳合金称为铁。 (√)

110. 含碳量小于2.06%的铁碳合金称为钢。 (√)

111. 钢材的疲劳破坏主要是由拉应力引起的。 (√)

112. 低碳钢，碳的含量为0.25%～0.60%。 (×)

113. 中碳钢，碳的含量为0.25%。 (×)

114. 高碳钢，碳的含量为0.60%～2.06%。 (√)

115. 平开铝合金门的代号为PL。 (√)

116. 推拉铝合金门的代号为GLM。 (×)

117. 固定铝合金门的代号为TLM。 (×)

118. 平开铝合金门的代号为PLC。 (√)

119. 推拉铝合金门的代号为TCL。 (√)

120. 国产焊条的最大直径是8mm。 (√)

121. 应用最广的国产焊条直径为3.2～5mm。 (√)

（二）选择题（正确答题填在每题括号内）

1. 沸腾钢的代号是(C)。

A.D　B.E　C.F　D.G

2. 镇静钢的代号是(A)。

A.Z　B.E　C.D　D.F

3. 半镇静钢的代号是(B)。

A.Z　B.E　C.D　D.F

4. 特殊镇静钢的代号是(A)。

A.TZ　B.DZ　C.EZ　D.WZ

5. 含碳量大于(C)的铁碳合金为铁。

A.2.02%　B.2.04%　C.2.06%　D.2.08%

6. 钢的强度越大，说明钢含碳量越(B)。

A. 低　B. 高　C. 中等　D. 最低

7. 钢是含碳量小于(D)的铁合金。

A.2.03%　B.2.04%　C.2.05%　D.2.06%

8. 合金元素含量小于(B)为低合金钢。

A.5%　B.6%　C.7%　D.8%

9. 中合金钢的合金元素含量是(C)。

A.5%～8%　B.5%～10%

C.6%～8%　D.6%～10%

10. 高合金钢的合金元素含量大于(C)。

A.8%　B.9%　C.10%　D.11%

11. 普通钢磷的含量小于(B)。

A.0.035%　B.0.04%

C.0.045%　　　　　　　D.0.05%

12. 普通钢硫的含量小于(　B　)。

A.0.045%　　　　　　　B.0.05%

C.0.06%　　　　　　　D.0.07%

13. 优质钢磷的含量小于(　A　)。

A.0.035%　　　　　　　B.0.03%

C.0.025%　　　　　　　D.0.02%

14. 硫的含量小于(　A　)为优质钢。

A.0.035%　　　　　　　B.0.03%

C.0.025%　　　　　　　D.0.02%

15. 根据国家标准规定，碳素结构钢牌号中表示屈服点的字母是(　D　)。

A.B　　　B.A　　　C.J　　　D.Q

16.Q235-AF 号沸腾碳素结构钢的含碳量是(　C　)。

A.0.12%～0.2%　　　　　B.0.13%～0.21%

C.0.14%～0.22%　　　　　D.0.15%～0.23%

17. 碳含量小于(　C　)为低碳钢。

A.0.2%　　　B.0.23%　　　C.0.25%　　　D.0.26%

18. 用低合金高强度结构钢代替普通碳素钢可节约钢材(　D　)。

A.10%～15%　　　　　　B.15%～20%

C.20%～25%　　　　　　D.20%～30%

19. 钢材的疲劳破坏主要是(　B　)引起的。

A. 压应力　　　　　　　B. 拉应力

C. 剪应力　　　　　　　D. 切应力

20. 常用铝合金龙骨的断面形式为(　A　)形。

A.T　　　B.U　　　C.L　　　D.C

21. 平开铝合金门的代号是(　B　)。

A. TL　　B. PL　　C. DL　　D. BL

22. 推拉铝合金门的代号是(　C　)。

A. GLM　　B. PLM　　C. TLM　　D. SPLM

23. 代号为 PLC 的铝合金窗是(　B　)窗。

A. 推拉铝合金窗　　B. 平开铝合金窗

C. 固定铝合金窗　　D. 内外开铝合金窗

24. 固定铝合金窗的代号是(　C　)。

A. CLC　　B. SLC　　C. GLC　　D. XLC

25. 彩色不锈钢板的色彩能耐(　B　)℃的温度不变色。

A. 100　　B. 200　　C. 250　　D. 300

26. 具有良好可加工性的彩色不锈钢板，当弯曲(　D　)度时彩色层不会损坏。

A. 60　　B. 70　　C. 80　　D. 90

27. 具有良好耐高温性的彩色涂层钢板，在 120℃的烘箱中连续加热(　D　)h，涂层的光泽和颜色不变。

A. 48　　B. 60　　C. 80　　D. 90

28. 具有良好耐高、低温性的彩色涂层钢板，在 -54℃低温下放置(　B　)h，涂层弯曲和冲击韧性无明显变化。

A. 12　　B. 24　　C. 36　　D. 48

29. 彩色涂层钢板，具有良好的耐沸水性，在沸水中浸泡(　A　)min 后，表面光泽和颜色不变。

A. 60　　B. 90　　C. 110　　D. 120

30. 由轻钢龙骨和 2～4 层石膏板组成的隔断，其耐火极限可达(　A　)h。

A. 1.0～1.6　　B. 1.2～1.8

C.1.5～2.0　　　　　D.2.0～2.5

31. 施工技术水平一般的工人，每工日可完成隔断(　D　)m^2。

A.1.5～2.0　　　　　B.2.0～2.5

C.2.5～3.5　　　　　D.3.0～4.0

32. 吊顶龙骨的代号是(　B　)。

A.B　　B.D　　C.E　　D.F

33. 隔断龙骨的代号是(　B　)。

A.D　　B.Q　　C.Y　　D.J

34. 根据静荷载试验，吊顶轻钢主龙骨的最大挠度不大于(　C　)mm。

A.3　　B.4　　C.5　　D.6

35. 据静荷载试验，吊顶轻钢次龙骨的最大挠度不大于(　D　)mm。

A.5　　B.7　　C.9　　D.10

36.Q75 系列以下的轻钢龙骨，用于层高(　C　)m 以下的隔墙。

A.2.8　　B.3.0　　C.3.5　　D.40

37.Q75 系列以上的轻钢龙骨，用于层高(　C　)m 的隔墙。

A.3～4　　　　　B.3.5～5

C.3.5～6.0　　　　　D.3.5～7.0

38. 单层石膏板隔墙的规格一般为(　D　)。

A. 墙厚 50mm，高度 1.5m

B. 墙厚 60mm，高度 1.8m

C. 墙厚 65mm，高度 2.5m

D. 墙厚 74mm，高度 2.7m

39. 据规格要求，双层石膏板隔墙的厚度一般为（ D ）mm。

A.70　　B.80　　C.90　　D.98

40. 根据轻钢龙骨超高墙的规格要求，其墙厚一般为（ D ）mm。

A.150　　B.200　　C.228　　D.238

41. 常用低碳钢的屈服点是（ C ）MPa。

A.160～220　　B.180～230

C.185～235　　D.190～240

42. 常用低碳钢的抗拉强度是（ D ）MPa。

A.300～400　　B.320～420

C.360～450　　D.380～470

43. 常用的合理屈强比是（ A ）。

A.0.6～0.75　　B.0.5～0.65

C.0.4～0.55　　D.0.3～0.45

44. 在焊条牌号中，结构焊条用（ D ）字母表示。

A.E　　B.F　　C.Y　　D.J

45. 焊心牌号中带字母A者，其磷和硫的含量均不能超过（ C ）。

A.0.01%　　B.0.02%　　C.0.03%　　D.0.04%

46. 含碳量大于（ A ）的铁碳合金称为铁。

A.2.06%　　B.2.1%　　C.2.5%　　D.3%

47. 含碳量小于（ C ）的铁碳合金称为钢。

A.2.1%　　B.2.5%　　C.2.06%　　D.3%

48. 中碳钢碳的含量为（ D ）。

A.0.2%～0.5%　　B.0.25%～0.4%

C.0.3%～0.5%　　D.0.25%～0.6%

49. 高碳钢碳的含量为(　C　)。

A.0.2%～1.5%　　B.0.6%～2%

C.0.6%～2.06%　　D.0.6%～3%

50. 具有独立的设计文件，竣工后可以独立发挥生产能力，能取得效益的工程，叫做(　B　)，它是建设项目的组成部分。

A. 建设项目　B. 单项工程

C. 单位工程　D. 分项工程

51. 平开铝合金窗的代号为(　B　)。

A.TLC　　B.PLC　　C.SLC　　D.CLC

52. 推拉铝合金窗的代号为(　D　)。

A.PLC　　B.XLC　　C.ILC　　D.TLC

53. 具有计划任务书和总体设计，经济上实行独立核算，行政上具有独立组织形式的基本建设单位，如一个学校，一个工厂，这叫做(　A　)。

A. 建设项目　　B. 单项工程

C. 单位工程　　D. 分部工程

54. 铝合金浅花纹板比普通铝板的刚度大(　C　)。

A.10%　　B.15%　　C.20%　　D.25%

55. 铝合金浅花纹板对白光的反射率为(　D　)。

A.40%～50%　　B.50%～60%

C.75%～80%　　D.75%～90%

56. 铝合金浅花纹板热反射率为(　D　)。

A.50%～60%　　B.60%～70%

C.80%～95%　　D.85%～95%

57. 世界上铜储量最多的国家是(　B　)。

A. 美国　　B. 智利　　C. 加拿大　　D. 俄罗斯

58. 在所有金属中导电性能最好的是（ D ）。

A. 铜　　B. 铝　　C. 铁　　D. 银

59. 国产焊条的最小直径是（ A ）。

A.1.6mm　　B.1.5mm

C.1.8mm　　D.2.0mm

60. 国产焊条的最大直径是（ B ）。

A.7mm　　B.8mm　　C.9mm　　D.10mm

61. 用布氏法测钢材的硬度时，所测压痕直径应在（ C ）范围内。

A.$0.4D<d<0.8D$　　B.$0.5D<d<0.7D$

C.$0.25D<d<0.6D$　　D.$0.35D<d<0.65D$

62. 在阳极氧化的方法中，（ D ）应用最广。

A. 铬酸法　　B. 草酸法

C. 醋酸法　　D. 硫酸法

63. 在所有商品金属中，导电性能最好的是（ B ）。

A. 铝　　B. 铜　　C. 锌　　D. 铁

64. 普通黄铜是铜与锌的合金，其含铜量是（ C ）。

A.70%　　B.75%　　C.80%　　D.85%

65. 普通黄铜是铜与锌的合金，其含锌量是（ D ）。

A.30%　　B.35%　　C.15%　　D.20%

66. 白铜是以铜与镍为主的合金，镍的含量通常是（ C ）。

A.50%　　B.40%

C.10%～30%　　D.20%～40%

67. 在焊条牌号中，表示不锈钢焊条用（ B ）字母。

A.Z　　B.A　　C.Z　　D.E

68. 全面质量管理的工作程序是（ C ）。

A. 设计、施工、验收、评比

B. 布置任务、熟悉图纸、施工操作、结算验收

C. 计划、实施、检查、处理

D. 学习、订计划、做记录、评比

69. 全面质量管理的基本特点是(　B　)。

A. 全民性、全面性、严格性、服务性、开放性

B. 全员性、全面性、预防性、服务性、科学性

C. 全民性、社会性、严格性、强制性、科学性

D. 全民性、社会性、预防性、强制性、开放性

70. 全面质量管理的工作程序中，推动 PDCA 循环关键在(　D　)。

A.P 阶段　　B.D 阶段　　C.C 阶段　　D.A 阶段

71. 从某一个全面质量管理的排列图中，根据以下数据可确定产品质量的 A 类因素指标为(　C　)。

A. 累计百分比 90%，因素有四个

B. 累计百分比为 85%，因素有三个

C. 累计百分比为 80%，因素有二个

D. 累计百分比为 65%，因素有一个

72. 全面质量管理的基本核心是强调(　A　)，来保证产品质量，达到全面提高企业和社会经济效益的目的。

A. 提高人的工作质量　　B. 加强科学管理

C. 采用先进技术　　D. 发挥潜力

73. 施工组织设计中，考虑施工顺序时的“四先四后”是指(　A　)。

A. 先地下后地上，先主体后围护，先结构后装饰，先土建后设备

B. 先上后下，先算后做，先进料后施工，先安全后生

产

C. 先地上后地下，先围护后主体，先装饰后结构，先设备后土建

D. 先地下结构后地上围护，先土建主体后装饰设备

74. 单位工程施工进度计划主要是反映了(　D　)。

A. 各分项工程的具体工作内容和工程量

B. 各分项工程的计划工作天数

C. 各分项工程的施工工作日期

D. 各分项工程的内容和数量，整个工程的进度日程

75. 将工程分成若干施工段，每个施工段的工作量大致相等，工人可以先后安排在各个施工段上连续均衡地进行施工操作，这种施工方法叫(　C　)。

A. 顺序施工法　　　　B. 习惯施工法

C. 流水施工法　　　　D. 立体施工法

76. 施工工艺卡反映的是(　D　)。

A. 针对性的具体项目的施工方法

B. 一般的施工操作要求

C. 特定的工艺操作标准

D. 施工程度较科学，并劳动力、工具设备配备较为合理的条件下的规范化的标准施工操作方法。

77. 施工工艺卡有时又叫做工法，其编制的主要依据是(　A　)。

A. 质量标准和操作规程

B. 劳动定额和材料定额水平

C. 工人的实际操作水平和能力

D. 领导的要求

78. 建筑物按耐火程度分为(　C　)级。

A.2　　　　B.3　　　　C.4　　　　D.5

79. 劳动定额中时间定额和产量定额的关系是(　B　)。

A. 相加为 1　　　　B. 互为倒数

C. 相乘为零　　　　D. 相互无关

80. 按(　C　)编制的文件，叫做施工预算。

A. 工程综合概算定额　　　　B. 预算定额

C. 施工预算定额　　　　D. 框算定额

81. 按(　B　)编制的文件，叫做施工图预算。

A. 工程综合概算定额　　　　B. 预算定额

C. 施工定额　　　　D. 框算定额

82. 按(　A　)编制的文件，叫做概算。

A. 工程综合概算定额　　　　B. 预算定额

C. 施工预算定额　　　　D. 框算定额

83. 工程竣工后，根据(　B　)和施工实际情况编制的文件，叫做竣工结算。

A. 工程综合概算定额　　　　B. 预算定额

C. 施工预算定额　　　　D. 框算定额

84. 施工图预算中的直接费，是指(　B　)。

A. 人工费与材料费

B. 直接耗用在建筑工程上的各项费用

C. 组织和管理施工中所发生的费用

D. 上交税金和法定利润

85. 施工图预算中，(　A　)划为直接费中。

A. 直接耗用在工程上的材料费

B. 临时设计费

C. 企业管理人员的工资奖金

D. 法定利润

86. 施工图预算中，(　B　)划为独立费。

A. 耗用的材料费

B. 临时设施费

C. 企业管理人员的工资奖金

D. 法定利润

87. 按建筑工程的主要施工方法、不同的规格、不同的材料划分的项目，叫做(　D　)。

A. 建设项目　　B. 单项工程

C. 单位工程　　D. 分项工程

88. 按建筑工程的结构部位来划分的，例如基础工程、结构工程、层面排水工程，这叫做(　D　)。

A. 建设项目　　B. 单项工程

C. 单位工程　　D. 分部工程

89. 具有独立设计文件，可以独立组织施工的工程，如装配车间、宿舍楼，这叫做(　C　)。

A. 建设项目　　B. 单项工程

C. 单位工程　　D. 分项工程

90. 我国规范规定混凝土强度等级用边长为(　B　)的立方体抗压强度标准值确定。

A. 40×40×160（mm）

B. 150×150×150（mm）

C. 200×200×200（mm）

D. 53×115×240（mm）

91. 钢筋按其强度大小分(　B　)钢筋等级数。

A. 1 到 4 级　　B. Ⅰ至Ⅳ级

C. 一至四级　　D. 光面与变形

92. 用符号“ϕ”表示(　D　)钢筋。

A. 一级　　　　　　　　　　B. 一级光面

C. Ⅲ级光面　　　　　　　　D. Ⅰ级光面

（三）计算题

1. 某钢筋混凝土柱，其截面为 250mm × 300mm，配置 4Φ18 钢筋，混凝土强度等级为 C20，已知混凝土的设计强度为 $10N/mm^2$，钢筋的设计强度为 $310N/mm^2$，此柱的稳定系数为 1，求柱承受的最大轴向压力。

【解】 $N = (f_cA + f_yA_s) \times 1$

$= (250 \times 300 \times 10 + 310 \times \pi 18 \times 18 \times 4/4) \times 1$

$= (75000 + 315381) \times 1$

$= 1065381N$

$= 1065kN$

2. 某一根钢筋混凝土简支梁的混凝土设计强度为 $11N/mm^2$，断面为 200mm × 500mm，配置 3Φ20 的受力筋，钢筋的设计强度为 $310N/mm^2$，计算跨度为 5.7m，试求最大的承受弯矩能力。

【解】 $m_1 = \alpha_s f_c bh_0 = 0.253 \times 11 \times 200 \times 46.5 \times 46.5$

$= 120 \times 1000000N/mm$

$m_2 = \gamma_s \times f_g A_s h_0 = 0.851 \times 310 \times 3 \times \pi$

$\times 20 \times 20 \times 46.5/4$

$= 115.4 \times 1000000N/mm$

所以取 m_2，即 $M = 115.4 \times 10^6 N/mm$。

3. 某一砖柱，截面为 370mm × 490mm，其抗压设计强度为 1.58MPa，纵向弯曲系数 $\phi=0.785$，柱调整系数为 0.881，求最大的轴向承压力。

【解】 $f=1.58\times0.881=1.39\text{MPa}$

轴向最大承压力：

$$N=\phi Af=0.785\times490\times370\times1.39$$
$$=142.3\times1.39=197.8\text{kN}$$

4. 某钢窗安装检测后，发现不合格的原因与数量如下：窗框与墙体间缝隙填嵌不对 5 樘，窗框正侧面垂直度超标 14 樘，窗框水平度超标 16 樘，附件安装不合格 10 樘，框对角线长度差不合格 8 樘，其他原因 3 樘，画出产品质量不合格的排列表。

产品质量不合格排列表

序 号	1	2	3	4	5	6	合 计
原因	水平度	垂直度	附件	对角线	填缝	其他	
数量	16	14	10	8	5	3	56
百分比	28.6	25.0	17.9	14.3	8.9	5.3	100
累计	28.6	53.6	71.5	85.8	94.4	100	%

5. 在某铝合金窗的工程质量检查中发现产品不合格的原因与数量如下：用水泥砂浆填嵌灰缝为 18 樘，外观划毛破相为 16 樘，附件安装不对为 3 樘，框对角线长度差超标为 8 樘，框正侧面垂直度超标为 5 樘，其他原因为 2 樘，画出产品质量排列表。

产品质量不合格排列表

序 号	1	2	3	4	5	6	合 计
原因	嵌缝	划毛	对角线	垂直度	附件	其他	
数量	18	16	8	5	3	2	52
百分比	34.6	30.8	15.4	9.6	5.8	3.8	100
累计	34.6	65.4	80.8	90.2	96.2	100	%

6. 某模板工程的质量检测后发现不合格的情况如下：拼板宽度超标3处，表面清理不合格为4处，标高不对为2处，表面平整度超标为5处，相邻模板高低拼接超标为7处，其他原因为2处。画出产品不合格排列表。

产品不合格排列表

序号	1	2	3	4	5	6	全计
原因	高低拼接	平整度	清理	宽度	标高	其他	
数量	7	5	4	3	2	2	45
百分比	30.4	21.8	17.4	13.0	8.7	8.7	100
累计	30.4	52.2	69.6	82.6	91.3	100	%

（四）简答题

1. 建筑装饰装修用钢材的机械性能主要包括哪些方面？

答：抗拉性能、伸长率、冷弯性能、冲击韧性、硬度和耐疲劳性。

2. 装饰装修用钢材抗拉性能变化的四个阶段是什么？

答：弹性阶段、屈服阶段、强化阶段、颈缩阶段。

3. 装饰装修用钢材力学性质的主要检验指标是哪些方面？

答：屈服强度、抗拉强度。

4. 何为钢材的冷弯性能？

答：在常温下钢材承受弯曲变形的能力。

5. 何为钢材的冲击韧性？

答：钢材抵抗冲击荷载而不破坏的能力。

6. 铝合金是在纯铝中加入哪些元素合成的？

答：镁、锰、铜、锌、硅。

7. 挤压法是金属压力加工的主要方法，一般可分为哪几种方法？

答：正挤压、反挤压、正反联合挤压。

8. 铝合金门窗与钢、木门窗相比，具有哪些优点？

答：质量轻、性能好、色泽美观、耐腐蚀性能强、维修方便、便于工业生产。

9. 铝合金压型板的主要优点是哪些方面？

答：质量轻、外型美观、耐久性好、安装容易、表面光亮，可反射阳光。

10. 铝合金花格网具有哪些方面的优点？

答：造型美观，抗冲击性能强，安全防盗性能好，不锈蚀，无磁性，质量轻等优点。

11. 铜的冶炼方法有哪几种？

答：火法冶炼，湿法冶炼。

12. 室内装修小五金连接材料有哪些种类？

答：圆钉、木螺钉、自攻螺钉、射钉、螺栓等。

13. 金属膨胀螺栓由哪些构件组成？

答：底部锥形螺栓、膨胀套管、平垫圈、弹簧垫圈和螺母组成。

14. 电焊条由哪几部分组成？

答：焊芯、药皮。

15. 如构件受力较简单，母材质量较好，一般选用什么焊条？

答：酸性焊条。

16. 钢材的优点和特性有哪些方面？

答：材质均匀，性能可靠，较高的强度，较好的塑性和韧性，优良的可加工性。

17. 钢材按化学成分不同可分为哪几种？

答：碳素钢、合金钢。

18. 钢材按脱氧程度不同可分为哪几种？

答：沸腾钢，镇静钢，半镇静钢，特殊镇静钢。

19. 建筑装饰装修工程中，常用的钢材有哪几种？

答：碳素结构钢，低合金钢，高强度结构钢。

20. 在轻钢龙骨中，主龙骨又称为什么？

答：承重龙骨。

21. 工程中应用最广的焊条有哪几种？

答：碳钢焊条，低合金钢焊条。

22. 据国家标准规定，碳素结构钢的牌号中应包含哪些方面的内容？

答：代表屈服点的字母，屈服点数值，质量等级符号，脱氧方法。

23. 试述钢结构防腐处理的方法。

答：钢结构均需进行防腐处理，其防腐处理方法如下：

(1) 涂料的选用

①涂料种类、涂刷遍数和厚度应按设计要求施工。一般室内钢结构涂刷防锈底漆两遍和面漆两遍；室外用钢结构涂刷防锈底漆两遍和面漆三遍。

②钢结构防锈漆的使用，根据使用条件选用，底漆主要有 Y53-253-1 红丹油性防锈漆、H 红丹环氧醇酸防锈漆；当工厂不能喷砂除锈时，最好用红丹油性防锈漆，防锈效果好。面漆主要有 C04-42 各色醇酸磁漆（耐久性好）、C04-45 灰铝锌醇酸磁漆（耐候性好），其次是 Y03-1 油性调和漆，

性能比前两种差一些。

③底漆和面漆应配套使用，腻子亦应按不同品种的涂料选用相应品种的腻子。

(2) 基层表面处理

①钢结构构件防腐前，应将表面锈皮、毛刺、焊渣、焊瘤、飞溅物、油污等清除干净。钢材基层上的水露、污泥应在涂漆前擦去。

②钢结构除锈一般选用一级除锈标准（即钢材表面应露出金属光泽）；如采用新出厂的钢材，其表面紧附一层氧化磷皮，可采用二级除锈标准（即允许存留不能再清除的轧制表皮）；对重要钢结构一律采用一级除锈标准。

③除锈方法，现场常用人工除锈和喷砂除锈两种。人工除锈采用刮刀、钢丝刷、砂布、电动砂轮等简单工具去铁锈或将钢丝轮刷装在小型磨光机上（或用电动钢丝刷）除锈，直至露出金属表面为止，这是钢结构除锈的主要方法，但效率低。喷砂除锈多用压缩空气带动石英砂（粒径 2～5mm）或铁丸（粒径 1～1.5mm）通过喷嘴高速喷射于构件表面将铁锈除净，这种方法除锈的质量好，效率高，但粉尘较大，常用于工厂少量大型、重要结构的除锈。

④表面油污用汽油、苯类溶剂清洗干净。表面处理完后应立即刷（喷）第一遍防锈底漆，以免返锈，影响漆膜的附着力。

(3) 防腐操作要点

①调配好的涂料，应立即使用，不宜存放过久，使用时，不得添加稀释剂。

②涂漆按漆的配套使用要求采用涂刷和喷射。喷涂用的压缩空气应除去油和水气。

③涂面漆时，须将粘附在底的油污、泥土清洗干净后进行，如底漆起鼓、脱落、须返工后方能涂面漆。

④涂漆每遍均应丰满；不得有漏涂和流挂现象，前一遍油漆实干后，方可涂下一遍油漆。

⑤施工图中注明不涂漆的部位，如节点处30～50mm宽范围、高强螺栓的摩擦面及其附近50～80mm范围内不应涂刷。所有焊接部位、焊好须补涂的涂层部位构件表面被损坏的涂层，应及时补涂，不得遗漏。

⑥涂层地点的温度应在5～28℃之间，相对湿度不应大于85%，雨、雾、霜、雪天或构件表面有结露时，不宜露天作业，涂后4h内严防雨淋。

24. 简述不锈钢圆柱饰面安装施工的施工工艺顺序。

答：不锈钢圆柱饰面安装施工的施工工艺顺序为：检查柱体→修整柱体基层→不锈钢板加工成曲面板→不锈钢板安装→表面抛光处理。

25. 简述铝塑板粘贴的施工工艺顺序。

答：铝塑板粘贴的施工工艺顺序为：弹线→放样、试样、裁切编号→安装、粘贴→修整表面→板缝处理→封边、收口等。

26. 试述推拉窗的主要组成材料。

答：推拉窗主要组成材料：

(1) 窗框：由上滑道、下滑道和两侧边封所组成，这三部分均为铝合金型材。

(2) 窗扇：由上横、下横、边框和带钩边框组成，这四部分均为铝合金型材。另外，还有密封边的两种毛条。

(3) 五金件：装于窗扇下横之中的导轨滚轮，装于窗扇边框上的窗扇钩锁。

(4) 连接件：窗框与窗扇的连接件有厚 2mm 的铝角型材，以及 M4×15 的自攻螺钉。

(5) 玻璃：窗扇玻璃通常用5mm 厚玻璃，有茶色镀膜、普通透明玻璃。

27. 简述卷帘门窗的安装方式。

答：卷帘门窗的安装方式有三种：①洞内安装：卷帘门窗装在门窗洞边，帘片向内侧卷起。②洞外安装：卷帘门窗在门窗洞外，帘片向外侧卷起。③洞中安装：卷帘门窗装在门窗洞中，帘片可向内侧或外侧卷起。

28. 塑料门窗框与墙体的连接固定方法。

答：塑料门窗框与墙体的固定方法，常见的有连接件法、直接固定法和假框法三种。

(1) 连接件法。这是用一种专门制作的铁件将门窗框与墙体相连接，是我国目前运用较多的一种方法。其优点是比较经济，且基本上可以保证门窗的稳定性。连接件法的做法是先将塑料门窗放入窗洞口内，找平对中后用木楔临时固定。然后，将固定在门窗框异型材靠墙一面的锚固铁件用螺钉或膨胀螺栓固定在墙上。

(2) 直接固定法。在砌筑墙体时先将木砖预埋入门窗洞口内，当塑料门窗安入洞口并定位后，用木螺钉直接穿过门窗框与预埋木砖连接，从而将门窗框直接固定于墙体上。

(3) 假框法。先在门窗洞口内安装一个与塑料门窗框相配套的镀锌铁皮金属框，或者当木门窗换成塑料门窗时，将原来的木门窗框保留，待抹灰装饰完成后，再将塑料门窗框直接固定在上述框材上，最后再用盖口条对接缝及边缘部分进行装饰。

29. 班组核算有哪些主要内容？

答：(1) 施工前算：审阅图纸，讨论任务，研究措施，做好施工准备。

(2) 施工中算：认真落实措施，保证工程质量，注意施工安全，降低工料消耗。

(3) 完工后算：认真清理施工现场，办理退料、退库或转移手续，防止料具丢失，核算工料用量，分析节超原因，提出改进方法。

30. 什么叫施工预算？它的内容主要有哪些？

答：根据施工图的工程量、施工组织设计、施工定额，施工单位编制的用工、用料的文件，叫做施工预算，故又叫做工料分析。

施工预算的内容一般包括：

(1) 按施工定额规定计算的分项、分部工程量；

(2) 材料耗用量；

(3) 分工种的用工数；

(4) 大型机械的施工台班数；

(5) 主要机具的型号与数量；

(6) 其他设备、构件的用量。

31. 什么叫做平行流水作业和主体交叉作业？有什么意义？

答：按照工程的各个工程之间及各工序之间的逻辑关系而进行的生产组织形式叫做平行流水作业。

按照工程的楼层或垂直空间分层的穿插交叉作业，称为主体交叉作业。

平衡流水作业和主体交叉作业，对于合理组织劳动力、充分利用空间和工作面，相互配合、争取时间具有很大的意义。

32. 一般分析出现质量问题时，应该从哪几个方面去思考原因？

答：一般应该从以下几个方面去找原因：

(1) 从原材料或构件的质量、规格上找原因。

(2) 从基层或前道工序中找原因。

(3) 从半成品的制作质量找原因。

(4) 从本工种工艺的操作质量中找原因。

(5) 从产品保护及相应后一道工序操作中找原因。

(6) 从设计的科学性及合理性中找原因。

33. 饰面工程应具备哪些作业条件？

答：(1) 主体工程验收合格，防水工程无渗漏；

(2) 基层表面垂直平整、干净粗糙；

(3) 水、暖、电预埋管件安装齐全，试压、试电合格；

(4) 门窗框安装完成。

34. 试述吊顶的连接方法。

答：(1) 紧固件以焊或射钉、膨胀螺栓连于基层；

(2) 吊筋以焊或螺挂、勾挂于紧固件；

(3) 吊挂件螺挂或钩挂于吊筋；

(4) 主龙骨、次龙骨分别托挂或钉固于吊挂件及主龙骨；

(5) 面板托、插、钉于次龙骨上。

35. 龙骨与基体、龙骨与龙骨、板材与龙骨之间分别用何种机具、何种紧固件来固接？

部位	龙骨与基体	龙骨与龙骨	板材与龙骨
机具	射钉枪、冲击钻、锤	手电钻、拉铆枪	手电钻、电或气动螺丝刀
紧固件	射钉、膨胀螺栓、水泥钢钉	拉铆钉	十字沉头自攻螺丝

二、实际操作题

1. 题目：吊顶轻钢龙骨安装（次龙骨间距450mm）艺术吊挂式，弧拱形

考核数量 1.8×1.8（m^2）

考核项目及评分标准

序号	考核项目	检查方法	测量	允许偏差	评分标准	满分	得分
1	吊顶标高及弧拱标高高度	观察、尺量	任意	±3mm	超过误差标准每点扣2分	10	
2	吊点、后置埋件设置	观察、拉拔试验	任意		吊点间距、数量不符合设计要求扣2分，吊点稳固不符合要求扣3分	10	
3	吊杆的选择及与吊点的连接	观察、手扳	任意		吊杆选择不符合设计要求扣3分，吊杆与吊点连接方式及稳固不符合要求扣3分	10	
4	龙骨的材质、规格、安装间距、连接方式	观察、尺量	任意		不符合要求扣3分	10	

续表

序号	考核项目	检查方法	测量	允许偏差	评分标准	满分	得分
5	龙骨的平整度及弧拱度	用2m靠尺和塞尺检查	任意	3	不符合要求扣2分	10	
6	饰面材料材质、品种、规格、颜色、图案	观察、合格证	任意		不符合要求扣2分	5	
7	饰面板平整度及弧拱度	用2m靠尺和塞尺检查	任意	2mm（纸面石膏板3mm）	不符合要求扣3分	5	
8	接缝平直度	拉5m线，不足5m拉通线，用钢直尺检查	任意	3mm（金属板1.5mm）	不符合要求扣3分	5	
9	接缝高低差	用钢直尺和塞尺检查	任意	1mm（矿棉板1.5mm）	不符合要求扣3分	5	
10	工艺操作规程				错误无分，局部错误扣1~9分	10	
11	安全生产				有事故无分，有事故隐患扣1~4分	5	
12	文明施工				工完料不清扣5分	5	

续表

序号	考核项目	检查方法	测量	允许偏差	评分标准	满分	得分
13	工效				低于定额90%无分，在90%～100%之间酌情扣分，超过定额者，酌情加1～3分	10	

2. 题目：圆柱面包不锈钢板

考核项目及评分标准

序号	考核项目	检查方法	测量	允许偏差	评分标准	满分	得分
1	选材：饰面板品种、规格、性能	观察、合格证	任意		不符合要求每点扣2分	5	
2	板材裁板下料	尺量	任意	1mm	不符合要求每点扣3分	10	
3	黏结材料选择	观察、合格证	任意		不符合要求每点扣3分	10	
4	板材黏结表面平整	观察2m靠尺和楔形塞尺检查	任意	3mm	不符合要求每点扣2分	10	
5	板材黏结阴阳角方正	用200mm方尺检查	任意	3mm	不符合要求扣2分	10	

续表

序号	考核项目	检查方法	测量	允许偏差	评分标准	满分	得分
6	板材黏结接缝平直	拉5m线检查，不足5m拉通线检查		0.5mm	不符合要求扣2分	10	
7	板材粘贴接缝高低	用直尺和楔形塞尺检查		1mm	不符合要求扣2分	10	
8	柱面圆度	尺量（套尺）		3mm	不符合要求扣5分	5	
9	工艺操作规程				错误无分，局部错误扣1~9分	10	
10	安全生产				有事故无分，有事故隐患扣1~4分	5	
11	文明施工				工完料不清扣5分	5	
12	工效				低于定额90%无分，在90%~100%之间酌情扣分，超过定额者，酌情加1~3分	10	

3. 题目：不锈钢板包窗套

考核项目及评分标准

序号	考核项目	检查方法	测量	允许偏差	评分标准	满分	得分
1	选材品种、规格、性能	观察、合格证	任意		不符合要求每点扣3分	10	
2	选型、尺寸	尺量	任意	3mm	不符合要求每点扣3分	10	
3	固定方法	手扳	任意		不符合要求每点扣3分	10	
4	正、侧面垂直度	用1m垂直检测尺检查	任意	3mm	不符合要求每点扣3分	10	
5	上口水平度	用1m水平检测尺和塞尺检查	任意	1mm	不符合要求每点扣3分	10	
6	上口顺直度	拉5m线，不足5m拉通线，用钢直尺检查	任意	3mm	不符合要求每点扣3分	10	
7	工艺操作规程				错误无分，局部错误扣1～9分	10	
8	安全生产				有事故无分，有事故隐患扣1～4分	10	

续表

序号	考核项目	检查方法	测量	允许偏差	评分标准	满分	得分
9	文明施工				工完料不清扣5分	10	
10	工效				低于定额90%无分，在90%～100%之间酌情扣分，超过定额者，酌情加1～3分	10	

4. 题目：广告牌钢骨架制作

考核项目及评分标准

序号	考核项目	检查方法	测量	允许偏差	评分标准	满分	得分
1	型钢材质、规格	观察、合格证	任意		不符合要求每点扣3分	10	
2	型钢连接方法正确、牢固	观察、手扳	任意		不符合要求每点扣3分	15	
3	招牌固定牢固	观察、手扳	任意		不符合要求每点扣3分	15	
4	防锈、防腐处理	观察	任意		不符合要求每点扣3分	10	

续表

序号	考核项目	检查方法	测量	允许偏差	评分标准	满分	得分
5	形体准确、表面平整	尺量	任意	3mm	不符合要求每点扣3分	10	
6	工艺操作规程				错误无分，局部错误扣1～9分	10	
7	安全生产				有事故无分，有事故隐患扣1～4分	10	
8	文明施工				工完料不清扣5分	10	
9	工效				低于定额90%无分，在90%～100%之间酌情扣分，超过定额者，酌情加1～3分	10	

第四章　金属工技师

一、理论部分

（一）是非题（对的打“√”，错的打“×”）

1. 钢材按化学成分不同可分为碳素钢和合金钢两种。

（√）

2. 钢材按质量不同可分为普通钢、优质钢、高级优质钢和特级优质钢四种。 (√)

3. 建筑装饰装修工程常用的钢材是不锈钢。 (×)

4. 钢材按用途不同可分为结构钢和特殊性能钢两种。 (×)

5. 钢材按脱氧程度不同分为沸腾钢和镇静钢两种。 (×)

6. 轻钢龙骨中的主龙骨又称为承重龙骨。 (√)

7. 顶棚轻钢龙骨根据承载能力的大小，分为上人和不上人吊顶。 (√)

8. 建筑装饰装修用钢材抗拉性能变化的四个阶段是：弹性、屈服、强化和颈缩阶段。 (√)

9. 建筑装饰装修用钢材力学性质的主要检验指标是屈服强度和抗压强度。 (×)

10. 钢材的冷弯性能是指负温下工作的钢材弯曲变形能力。 (×)

11. 钢材的冲击韧性是在冲击荷载作用下的破坏能力。 (×)

12. 平炉钢的主要燃料是煤气和重油。 (√)

13. 钢的强度高与低，是由碳含量的多与少决定的。 (√)

14. 碳素钢是强度和韧性均较优良的钢材。 (×)

15. 在 Q235-AF 牌子中，字母“F”表示的沸腾钢。 (√)

16. Q235-A 号钢材适用于承受静荷载的结构。 (√)

17. Q215 号钢材经冷加工处理后可代替 Q235 号钢材使用。 (√)

18. 钢的铬含量越高，其抗腐蚀性能越低。 (×)

19. 彩色涂层钢板的制作方法有一涂二烘和二涂三烘两种。 (√)

20. 钢材的屈服点是应力-应变图中的B上点。 (×)

21. 屈强比是屈服点与抗拉强度之比。 (√)

22. 屈强比越小，结构的安全性能越低。 (×)

23. 钢材的伸长率表明的是钢材的塑性变形能力。 (√)

24. 钢材呈脆性时的温度称为脆性临界温度。 (√)

25. 钢材脆性临界温度愈低，说明低温冲击性能愈好。 (√)

26. 随时间延长强度提高而塑性和韧性下降的现象称为钢材的时效。 (√)

27. 因时效而导致性能改变的过程，称为钢材的时效敏感性。 (√)

28. 承受动荷载和负温下工作的结构用钢，必须进行冲击韧性试验。 (√)

29. 布氏法精度虽高，但不宜用于成品的检验。 (√)

30. 钢材的疲劳破坏是连续工作时间长而引起的。 (×)

31. 钢材的疲劳极限是试件发生断裂时的最大应力。 (×)

32. 钢材的抗拉强度高，其疲劳极限相对也比较高。 (√)

33. 钢材的疲劳极限与内部组织和表面质量均有关。 (√)

34. 在铝合金液中加入钠盐混合物是为了提高铸造铝的强度和塑性。 (√)

35. 硬铝合金又称为杜拉铝。 (√)

36. 阳极氧化的方法有铬酸、硫酸和草酸法。（√）

37. 铜的冶炼方法有火法和湿法冶炼两种。（√）

38. 装饰装修工程中常用的螺栓是塑料和金属螺栓。（√）

39. 在商品金属中导电性能最好的是铜。（√）

40. 铝合金浅花纹板比普通铝板的刚度大10%。（×）

41. 智利是世界上铜储存量最多的国家。（√）

42. 装饰装修工程中直径为3.2～5mm的国产焊条应用最广。（√）

43. 普通黄铜的含铜量只有80%。（√）

44. 在焊条牌号中带有“0”和“1”数字的焊条是全位置焊接的焊条。（√）

45. 构件受力不复杂，母材质量较好的结构，一般选用碱性焊条。（×）

46. 材料不管是自然状态还是绝对密实状态，其体积总是相同的。（×）

47. 建筑施工中所用的图纸，都叫施工图。（×）

48. 全面质量管理就是对全行业的全体人员进行质量管理。（×）

49. 按电焊焊渣特性来分类，焊条有酸性和碱性两种。（√）

50. 钢筋的标准强度（出厂规定的强度限值）就是钢筋的设计强度。（×）

51. 混凝土是一种抗压和抗拉性能都很好的材料。（×）

52. 水泥砂浆是混合砂浆中的一种。（×）

53. 施工方法就是施工方案。（×）

54. 建筑中的变形缝就是伸缩缝、沉降缝、防震缝。
(√)

55. 工人在外脚手架上操作时，材料、工具等物不可斜靠在墙上，应该直接放置在脚手架上。 (√)

56. 因果图是反映质量与原因之间的质量关系，排列图是反映质量与原因之间的数量关系。 (√)

57. 影响工序质量的因素是：人、设备、材料、工艺、环境 5 个方面。 (√)

58. 因果图中的质量部分由大质量、中质量、小质量、细质量等组成，故又称大技、中技、小技、细技。 (×)

59. 因果图由原因和结果两部分组成，结果指存在的质量问题，写在左边，原因指影响质量的因素，写在右边。
(×)

60. 因果图中用方框框起来的原因，是表示影响质量问题的主要原因，作为指定质量改进措施的重点考虑对象。
(√)

61. 审核图纸主要是为了发现图纸上的错误。 (×)

62. 审核图纸主要是为了熟悉图纸，便于施工。 (×)

63. 审核图纸主要是为了向设计人员提意见。 (×)

64. 审核图纸主要是为了提出方便于自己施工的意见。
(×)

65. 施工前的图纸会审，一般由甲方召集，业主、设计、施工等单位有关人员参加，会后形成由甲方起草共同签字的“会审备忘录” (√)

66. 针对一个建筑物的施工组织设计叫做单位工程施工组织设计。 (√)

67. 针对一个分项工程、一个工艺步骤的施工组织设

计，叫做施工组织总设计。（×）

68. 施工组织设计中的施工平面图，是进行施工现场布置的依据。（√）

69. 施工方案是施工组织设计中带有决策性的重要环节，它主要包括施工顺序和施工方法。（√）

70. 单位工程施工组织设计中的施工进度计划，实际上就是各班组的作业计划。（×）

71. 保温吊顶与音响吊顶的结构做法相似，都要求有隔绝热传递或声传递的性能。（×）

72. 在艺术吊顶中，反光灯槽平顶与发光平顶的构造做法不同之处，是发光源是否直接与间接地照明整个室内空间。（×）

73. 同一旋转楼梯的踏步，其内外踏步三角是相似的。（×）

74. 同一旋转楼梯的踏步，高是相同的，但宽则外圆大，内圆小。（√）

75. 当采用板式圆柱螺旋形楼梯的结构时，同一径向的板底标高是相同的。（×）

76. 当采用板式圆柱螺旋形楼梯的结构时，同一径向的板底标高是不同的，即外侧比内侧高。（√）

77. 施工中的脚手架，可作为支承模板的支承点。（×）

78. 脚手架的系墙加固连接点，不可因影响操作而随意私自拆去。（√）

79. 脚手架上允许堆荷载不得超过2700N/m^2。（√）

80. 脚手架的每步高度，一般为2m。（×）

81. 外墙脚手架的操作高度超过三层时，应加设安全网。（×）

82. 手电钻有单速、双速、四速和无级调速等种类，其规格以钻孔直径表示。 (√)

83. 手动电动工具在使用过程中，如出现杂音或转速突然减慢等现象，这属正常现象，可继续进行操作。 (×)

84. 电锤与冲击电钻是两种不同的电动工具，其工作原理是不同的。 (×)

85. 手动电动工具对其存放场所无特殊要求，任何场所都可以存放。 (×)

86. 铣床正常走刀时，不得停车，铣深槽时应先停车后退刀。 (√)

87. 在焊接过程中，转移工作地点搬动焊机时，电源无须切断。 (×)

88. 气焊的焊炬停火时，乙炔与氧气的关闭无先后顺序，对乙炔和氧气先关闭哪一种都可以。 (×)

89. 高空焊接或切割时，必须挂好安全带，焊件周围和下方应采取放火措施并有专人监护。 (√)

90. 在机床运转过程中，可根据需要测量构配件。 (×)

91. 有关电气设备的检修安装可由操作者自行完成，无须专业电工进行。 (×)

92. 各种机床在开动前，必须检查电气开关，接地或接零是否良好，否则不得开动。 (√)

93. 射钉枪在装钉时，应严禁对人，以免走火伤人。 (√)

94. 手电钻向上钻孔，只许用手顶托钻把，不许用头顶肩夹。 (√)

95. 料具管理是料具使用过程中的管理。 (×)

96. 定额用料的程序和做法，大体分为签发、下达、应

用、检查、验收、结算六个步骤。 (√)

97. 建筑装饰装修工程的质量检查的数量有全数检查和抽样检查两种。 (√)

98. 建筑装饰装修工程质量检查的方法可用八个字来概括，即“看”、“摸”、“敲”、“照”、“靠”、“吊”、“量”、“套”。 (√)

99. 在进行建筑装饰装修工程施工的过程中，当遇到主体结构的变动或承重墙体拆除时，可由施工单位视具体情况自行处理。 (×)

100. 建筑装饰装修设计必须符合城市规划、消防、环保、节能等有关规定。 (√)

(二) 选择题 (答案写在每题横线上)

1. 根据冶炼方法__A__的质量最好。

A. 电炉钢　　B. 平炉钢

C. 空气转炉钢　　D. 氧气转炉钢

2. 特殊镇静钢的代号是__B__。

A. DZ　　B. TZ　　C. EZ　　D. WZ

3. 半镇静钢的代号是__C__。

A. Z　　B. D　　C. B　　D. E

4. 含碳量越高的钢其强度__B__。

A. 越小　　B. 越大　　C. 中等　　D. 最低

5. 低合金钢的合金元素含量小于__D__。

A. 8%　　B. 7%　　C. 6%　　D. 5%

6. 中合金钢的合金元素含量是__C__。

A. 6%～10%　　B. 6%～8%

C. 5%～10%　　D. 5%～8%

7. 高合金钢的合金元素含量大于__D__。

A.25%　　B.20%　　C.15%　　D.10%

8. 铁是含碳量大于<u>　C　</u>的铁碳合金。

A.2.20%　　B.2.04%　　C.2.06%　　D.2.08%

9. 钢是含碳量小于<u>　B　</u>的铁碳合金。

A.2.03%　　B.2.06%　　C.2.09%　　D.2.12%

10. 碳的合金量小于<u>　C　</u>为低碳钢。

A.0.21　　B.0.23　　C.0.25　　D.0.27

11. 碳的合金量是<u>　A　</u>为中碳钢。

A.0.25%~0.60%　　B.0.26%~2.55%

C.0.27%~0.60%　　D.0.25%~0.70%

12. 碳的含量是<u>　D　</u>为高碳钢。

A.0.5%~2.0%　　B.0.6%~2.05%

C.0.5%~2.06%　　D.0.6%~2.06%

13. 主要是由<u>　B　</u>引起的破坏，为钢材的疲劳破坏。

A. 压应力

B. 拉应力

C. 压力与拉力共同作用

D. 剪应力

14. <u>　A　</u>方法是阳极氧化中应用最广的方法。

A. 硫酸法　　B. 醋酸法　　C. 铬酸法　　D. 草酸法

15. 根据国家标准规定普通钢中碳的含量小于<u>　C　</u>。

A.0.035%　　B.0.04%

C.0.045%　　D.0.05%

16. 根据国家标准规定优质钢中碳的含量小于<u>　C　</u>。

A.0.025%　　B.0.03%

C.0.035%　　D.0.04%

17. 根据国家标准规定高级优质钢中碳的含量小于

__D__。

A.0.01%　　B.0.02%

C.0.025%　　D.0.03%

18. 根据国家标准规定特级优质钢中碳的含量小于__A__。

A.0.02%　　B.0.015%

C.0.012%　　D.0.010%

19. 硫的含量小于__D__为普通钢。

A.0.02%　　B.0.03%

C.0.04%　　D.0.05%

20. 硫的含量小于__C__为优质钢。

A.0.015%　　B.0.025%

C.0.035%　　D.0.045%

21. 含硫量小于__B__为高级优质钢。

A.0.020%　　B.0.025%

C.0.030%　　D.0.035%

22. 含硫量小于__C__为特级优质钢。

A.0.01%　　B.0.02%

C.0.015%　　D.0.025%

23. 小于__C__mm 的不锈钢薄板，装饰装修工程中用的最多。

A.1.0　　B.1.5　　C.2.0　　D.2.5

24. 彩色不锈钢板的色彩在__B__℃温度下不变色。

A.300　　B.200　　C.150　　D.100

25. 具有良好可加工性的彩色不锈钢板，当弯曲__C__度时彩色层不损坏。

A.70　　B.80　　C.90　　D.100

26. 在120℃的烘箱连续加热 B h后，彩色涂层钢板的涂层光泽和颜色不变。

A.120　　B.90　　C.60　　D.48

27. 在沸水中浸泡 A min后，彩色涂层钢板的光泽和颜色不变。

A.60　　B.90　　C.100　　D.120

28. 吊顶轻钢主龙骨的最大挠度不大于 C mm时，满足试验要求。

A.3　　B.4　　C.5　　D.6

29. 吊顶轻钢次龙骨的最大挠度不大于 C mm时，满足试验要求。

A.6　　B.8　　C.10　　D.12

30. 根据单层石膏板隔墙的规格要求，其墙厚一般为 C mm。

A.90　　B.60　　C.65　　D.70

31. 根据双层石膏板隔墙的规格要求，其墙高一般为 B m。

A.2.5　　B.3.0　　C.2.8　　D.3.2

32. 根据轻钢龙骨隔声墙的规格要求，其墙厚一般为 C mm。

A.90　　B.100　　C.110　　D.120

33. 根据轻钢龙骨超高墙的规格要求，其墙高一般为 D m。

A.5　　B.6　　C.7　　D.8

34. 常用低碳钢的屈服点是 D MPa。

A.160～220　　B.180～230

C.185～235　　D.190～240

35. 常用低碳钢的抗拉强度是__D__MPa。

A.300～400　　B.320～420

C.360～450　　D.380～470

36. 常用的合理屈强比是__A__。

A.0.6～0.75　　B.0.5～0.65

C.0.4～0.55　　D.0.3～0.45

37. 对碳素钢而言，当HB＝175时，其抗拉强度约为HB的__C__倍。

A.2.0　　B.3.0　　C.3.6　　D.3.8

38. 对碳素钢而言，当HB＞175时，其抗拉强度约为HB的__B__倍。

A.3.0　　B.3.5　　C.4.0　　D.4.5

39. 推拉铝合金门的代号为__B__。

A.GLM　　B.TLM　　C.PLN　　D.SPLM

40. 平开铝合金门的代号为__C__。

A.TLC　　B.SLC　　C.PLC　　D.CLC

41. 铝合金浅花纹板对白光的反射率可达__D__。

A.60%～80%　　B.70%～80%

C.70%～90%　　D.75%～90%

42. 铝合金浅花纹板的热反射率可达__D__。

A.70%～80%　　B.75%～80%

C.80%～90%　　D.85%～95%

43. 国产焊条的最大直径为__D__mm。

A.5　　B.6　　C.7　　D.8

44. 国产焊条的最小直径为__D__mm。

A.1.0　　B.1.2　　C.1.4　　D.1.6

45. 在焊条牌子中，结构焊条用__C__字母表示。

A.D　　B.E　　C.J　　D.Y

46. 在焊条牌子中，不锈钢焊条用__D__字母表示。

A.B　　B.C　　C.D　　D.A

47. 旋转楼梯的栏杆扶手是__D__形状，扶手应分段制作后再立体拼装。

A. 圆弧体　　B. 直线体

C. 曲面体　　D. 空间螺旋体

48. 旋转楼梯的扶手断面为矩形，则扶手标准段的上面形状与下面形状__A__。

A. 相同　　B. 相似

C. 不同　　D. 部分相同，部分不同

49. 旋转楼梯的扶手断面为矩形，则扶手标准段的左右两侧弯曲__B__。

A. 相同　　B. 相似

C. 不同　　D. 部分相同，部分不同

50. 对于高层建筑或玻璃幕墙的立面垂直定位放线测试中，一般采用经纬仪，其测试时间应考虑在__A__，就能得到比较好的精度水平。

A. 早上八点，风力在二级以下

B. 早上八点，风力在六级以下

C. 下午一点，风力在六级以下

D. 下午一点，风力在二级以下

51. 建筑按耐火程度分为__C__级。

A.2　　B.3　　C.4　　D.5

52. 为防止房屋在正常使用条件下，因温度而使墙体引起竖向裂缝，为此而在墙体中设置__C__。

A. 沉降缝　　B. 防震缝

C. 温度伸缩缝　　　　　　　D. 构造柱

53. 强度等级为 32.5 级的普通水泥 28d 达到的抗压强度为＿B＿。

A. 25MPa　　　　　　　　　B. 32.5MPa

C. 325MPa　　　　　　　　　D. 400MPa

54. 按照国家规范规定，水泥初凝时间应是＿B＿。

A. 不早于 45min，不迟于 4h

B. 不早于 45min，不迟于 12h

C. 不早于 1h，不迟于 4h

D. 不早于 4h，不迟于 8h

55. 钢筋中，＿D＿元素为有害物质，应严格控制其最大含量。

A. 碳　　　B. 硅　　　C. 锰　　　D. 硫

56. 钢筋和混凝土两种材料，它们的线膨胀系数是＿A＿。

A. 基本相同　　　　　　　　B. 钢筋大于混凝土

C. 混凝土大于钢筋　　　　　D. 相差很大

57. 材料的强度，是指材料的＿C＿。

A. 强弱程度　　　　　　　　B. 软硬程度

C. 抵抗外力破坏的能力　　　D. 耐磨耗的性能

58. 质量检验评定分项工程一般按＿B＿划分。

A. 建筑的主要部位　　　　　B. 主要工种工程

C. 单位工程　　　　　　　　D. 操作岗位

59. 建筑物上的保温构造层进行隔气防潮处理，其主要作用是＿B＿。

A. 加强保温性能，提高保温效果

B. 防止水、汽进入保温层，因受潮而使保温性能下降

C. 改善视觉环境，增加美观效果

D. 防止表面结露

60. 保温隔热构造层中，应该采用__C__的材料做成。

A. 比热大　　　　　　B. 导热系数大

C. 导热系数小　　　　D. 热容量大

61. 劳动定额中时间定额和产量定额的关系是__B__。

A. 相加为1　　　　　B. 互为倒数

C. 相乘为零　　　　　D. 相互无关

62. 按__C__编制的文件，叫做施工预算。

A. 工程综合概算定额　　B. 预算定额

C. 施工定额　　　　　　D. 框算定额

63. 按__B__编制的文件，叫做施工图预算。

A. 工程综合概算定额　　B. 预算定额

C. 施工预算定额　　　　D. 框算定额

64. 按__A__编制的文件，叫做概算。

A. 工程综合概算定额　　B. 预算定额

C. 施工预算定额　　　　D. 框算定额

65. 工程竣工后，根据__B__和施工实际情况编制的文件，叫做竣工结算。

A. 工程综合概算定额　　B. 预算定额

C. 施工预算定额　　　　D. 框算定额

66. 施工图预算中的直接费，是指__B__。

A. 人工费与材料费

B. 直接耗用在建筑工程上的各项费用

C. 组织和管理施工中所发生的费用

D. 上交税金和法定利润

67. 施工图预算中，__A__划为直接费中。

A. 直接耗用在工程上的材料费

B. 工程设计费

C. 企业管理人员的工资奖金

D. 法定利润

68. 施工图预算中，__B__划为独立费。

A. 直接耗用在工程上的材料费

B. 临时设施费

C. 企业管理人员的工资奖金

D. 法定利润

69. 施工图预算中，__C__划为施工管理费。

A. 直接耗用的材料费

B. 临时设施费

C. 企业管理人员的工资奖金

D. 法定利润

70. 因工程特殊必须在冬期施工，故增加了一笔冬期施工设施装配费。在竣工结算时此费应列入__D__。

A. 直接费　　B. 其他直接费

C. 管理费　　D. 独立费

71. 按建筑工程的主要施工方法、不同的规格、不同的材料划分的项目，叫做__D__。

A. 建设项目　　B. 单项工程

C. 单位工程　　D. 分项工程

72. 按建筑工程的结构部位来划分的，例如基础工程、结构工程、层面排水工程，这叫做__D__。

A. 建设项目　　B. 单项工程

C. 单位工程　　D. 分项工程

73. 具有独立设计文件，可以独立组织施工的工程，如装配车间、宿舍楼，这叫做＿C＿。

A. 建设项目　　　　　　　B. 单项工程

C. 单位工程　　　　　　　D. 分项工程

74. 具有独立的设计文件，竣工后可以独立发挥生产能力，能取得效益的工程，叫做＿B＿，它是建设项目的组成部分。

A. 建设项目　　　　　　　B. 单项工程

C. 单位工程　　　　　　　D. 分项工程

75. 具有计划任务书和总体设计，经济上实行独立核算，行政上具有独立组织形式的基本建设单位，如一个学校，一个工厂，这叫做＿A＿。

A. 建设项目　　　　　　　B. 单项工程

C. 单位工程　　　　　　　D. 分部工程

76. 室内环境的吊顶不具有＿D＿的作用。

A. 保温、隔热

B. 隔声、吸声

C. 增加室内亮度、美观并隐蔽上部设备

D. 调节室内环境的温湿度

77. 铝合金及塑钢门窗与砖砌墙体固定的方法，下列方法中＿A＿不可取。

A. 射钉法　　　　　　　　B. 膨胀螺栓法

C. 铁脚与满埋件焊接法　　D. 留孔埋入铁脚法

78. 门窗框与墙间缝的处理方法中＿C＿不正确。

A. 用中性水泥砂浆或中性细石混凝土填塞后，再用装饰面层覆盖

B. 填塞矿棉条或玻璃棉条，墙装饰后打嵌缝膏

C. 直接打嵌缝膏密封

D. 用中性水泥砂浆或中性细石混凝土一次填塞

79. 在建筑装饰装修工程设计与施工过程中，应常掌握“四新”知识，其中“四新”是指＿B＿

A. 新工艺、新技术、新设备、新材料

B. 新工艺、新技术、新材料、新构造

C. 新规范、新技术、新设备、新材料

D. 新工艺、新技术、新规范、新材料

80. 吊顶龙骨的连接方式有＿D＿。

A. 直接由射钉或膨胀螺栓连于基层

B. 直接由吊筋连于基层

C. 直接由吊挂件连于基层

D. 主龙骨、次龙骨分别拖挂或钉固于吊挂件及主龙骨，吊挂件由吊筋于基层连接

81. 我国规定的安全电压的等级不包括＿D＿。

A.12V　　　　B.24V

C.36V　　　　D.48V

82. 根据接地作用的不同，不属于接地的情况有＿D＿。

A. 工作接地　　　　B. 保护接地

C. 保护接零　　　　D. 工作接零

83. 光带照明线适用于＿A＿。

A. 百货商店　　　　B. 办公室

C. 卧室　　　　D. 舞厅

84. ＿C＿属于第三代电光源。

A. 荧光灯　　　　B. 节能灯

C. 高压钠灯　　　　D. 白炽灯

85. 商店、办公楼、展览厅等，大都采用＿C＿。

A. 一般照明　　　　B. 光带照明

C. 混合照明　　　　　　　　D. 景观照明

（三）计算题

1. 某商店顶棚装饰装修工程为装配式T型铝合金龙骨平面顶棚（不上人），其工程量为500m^2，试按全国统一建筑装饰装修工程消耗量定额（GYD-901-2002）确定完成该工程中吊筋、铝合金龙骨、膨胀螺栓的数量。

2. 某装饰装修工程为铝合金玻璃（5mm厚）隔断，其工程量为1000m^2，试按全国统一建筑装饰装修工程消耗量定额（GYD-901-2002）确定完成该工程需消耗综合工日、玻璃、膨胀螺栓、铝合金型材、玻璃胶的数量。

3. 某装饰装修工程为铝合金推拉窗的安装工程，其工程量为680m^2，试按全国统一建筑装饰装修工程消耗量定额（GYD-901-2002）确定完成该工程需消耗综合工日、合金钢钻头、地脚、密封油膏、玻璃胶的数量。

4. 某装饰装修工程中楼梯栏杆为圆弧型竖条式不锈钢管栏杆，其工程量为98m，试按全国统一建筑装饰装修工程消耗量定额（GYD-901-2002）确定完成该工程需消耗综合工日、不锈钢焊丝、不锈钢管（ϕ32×1.5）、不锈钢法兰盘（ϕ59）、环氧树脂的数量。

5. 某装饰装修工程中楼梯栏杆为铁花（型钢）栏杆，其工程量为85m，试按全国统一建筑装饰装修工程消耗量定额（GYD-901-2002）确定完成该工程需消耗综合工日、电焊条、圆钢（ϕ18）、扁铁（40×4）、扁铁（30×4）、乙炔气的数量。

6. 某装饰工程的隔墙采用轻钢龙骨轻质隔墙，隔墙面积为740m^2，已知龙骨的中距为竖向603mm，横向1500mm，试按全国统一建筑装饰装修工程消耗量定额

（GYD-901-2002）确定完成该工程需消耗综合工日、轻钢龙骨、膨胀螺栓、铆钉的数量。

7. 某装饰工程需做装配式U型轻钢龙骨顶棚（不上人型）$500m^2$，该顶棚为迭级式顶棚，龙骨间距为300mm，试按全国统一建筑装饰装修工程消耗量定额（GYD-901-2002）确定完成该工程需消耗综合工日、吊筋、轻钢龙骨、高强螺栓及射钉的数量。

8. 已知混凝土矩形截面尺寸 $b \times h = 2500mm \times 500mm$，采用C20混凝土，受压区配筋为 $3\phi18$（$A_s = 763mm^2$），求梁能承受的设计弯矩。

解：已知条件 $f_c = 9.6N/mm^2$，$f_y = 300N/mm^2$

$h_0 = 500 -（25 + 18/2）= 466（mm）$

（1）验算适用条件

$$x = \frac{f_y A_s}{a_1 f_c b} = \frac{300 \times 763}{1.0 \times 9.6 \times 250} = 95.375\ (mm) < \xi_b h_0$$

$$= 0.55 \times 466 = 256.3\ (mm) \quad 不超筋。$$

$$\rho = \frac{A_s}{bh_0} = \frac{763}{250 \times 466} = 0.66\% > \rho_{min} = 0.2\% 不少筋。$$

（2）求设计弯 M_u

$$M_u = a_1 f_c bx\left(h_0 - \frac{x}{2}\right)$$
$$= 1.0 \times 9.6 \times 250 \times 95.375 \times (466 - 95.375/2)$$
$$= 95.75 \times 10^6\ (N \cdot mm) = 95.75\ (kN \cdot m)$$

$$M_u = f_y A_s\left(h_0 - \frac{x}{2}\right) = 300 \times 763 \times (466 - 95.375/2)$$
$$= 95.75 \times 10^6\ (N \cdot m) = 95.75\ (kN \cdot m)$$

9. 已知混凝土为C15，钢筋采用Ⅰ级，梁截面尺寸为

200mm × 400mm，受拉钢筋采用 3ϕ25（$A_s = 1473mm^2$），受压钢筋采用 2ϕ16（$A'_s = 402mm^2$），承受的弯矩设计值 $M = 90kN·m$，验算此截面是否安全。

解：由已知条件查附表　$f_c = 7.2N/mm^2$，$f_y = f'_y = 210N/mm^2$

$$h_0 = h - a_s = 400 - \left(25 + \frac{25}{2}\right) = 362\ (mm)$$

（1）计算混凝土受压区高度

$$x = \frac{f_y A_s - f'_y A'_s}{a_1 f_c b} = \frac{210 \times (1473 - 402)}{1.0 \times 7.2 \times 200} = 156\ (mm)$$

（2）计算截面承载力 M_u，Ⅰ级钢筋 $\xi_b = 0.614$，

$$\xi_b h_0 = 0.614 \times 362 = 222\ (mm)$$

$$2a'_s = 2 \times 35 = 70\ (mm)$$

$$2a'_s < x < \xi_b h_0$$

$$M_u = a_1 f_c bx\left(h_0 - \frac{x}{2}\right) + f'_y A'_s\ (h_0 - a'_s)$$

$$= 1.0 \times 7.2 \times 200 \times 156 \times (362 - 156/2) + 210 \times 402 \times (362 - 35)$$

$$= 91.4 \times 10^6\ (N·mm)$$

$$= 91.4\ (kN·m) > M = 90\ (kN·m)$$

此截面安全。

10. 某砖柱截面尺寸为 $b \times h = 370mm \times 490mm$，柱高 3.6m，上下端均为不动铰支撑，采用 MU10 砖、M2.5 混合砂浆砌筑，在柱顶作用有轴向压力，由恒载算得的压力标

准值为 70kN，由活载算得压力标准值为 50kN，试验算该柱的承载力。

解：(1) 求轴力设计值

由于柱较重，考虑自重以后，柱底截面的轴力最大，故轴力设计值为

$$N = (70 + 0.37 \times 0.49 \times 3.6 \times 19) \times 1.2 + 50 \times 1.4$$
$$= 168.9\ (\mathrm{kN})$$

(2) 求影响系数

由于该柱上下端均为铰支，故 $H_0 = H = 3.6\mathrm{m}$

由 $\beta = \dfrac{H_0}{h} = \dfrac{3.6}{0.37} = 9.73$，$\dfrac{e}{h_0} = 0$，查表得 $\varphi = 0.835$

(3) 求柱的承载力

由于 $A = 0.37 \times 0.49 = 0.1813\mathrm{m}^2 < 0.3\mathrm{m}^2$，则 $\gamma_{\mathrm{a}} = 0.7 + A = 0.8813$

查表得 $f = 1.29\mathrm{N/mm}^2$

故 $N = \gamma_{\mathrm{a}} \varphi A f = 0.8813 \times 0.835 \times (370 \times 490) \times 1.29 = 172100\ (\mathrm{N}) = 172.1\mathrm{kN} > 168.9\mathrm{kN}$　满足要求。

11. 某单层单跨库房，采用装配式无檩体系钢筋混凝土屋盖。库房总长 56m，其间无横墙，纵墙的窗间墙为带壁柱截面，截面尺寸如图 1 所示。墙高 8.1m，壁柱间距 4.0m，

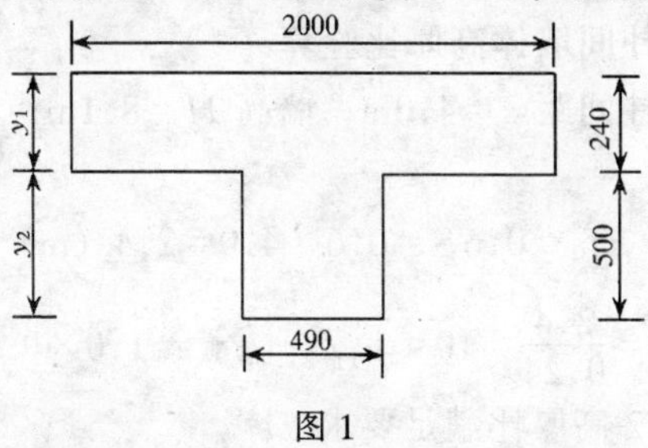

图 1

窗口宽 2.0m，试验算外纵墙的高厚比。

解：（1）求计算参数

$$A = 2000\times240+490\times500=72500\ (\mathrm{mm}^2)$$

$$y_1=\frac{240\times2000\times120+490\times500\times(240+250)}{725000}=245\ (\mathrm{mm})$$

$$y_2=(240+250)-245=495\ (\mathrm{mm})$$

$$I=\frac{1}{12}\times2000\times240^3+2000\times240\times(245-120)^2+\frac{1}{12}\times490\times500^3+490\times500\times(495-250)^2$$
$$=296.14\times10^8\ (\mathrm{mm}^4)$$

$$i=\sqrt{\frac{I}{A}}=\sqrt{\frac{296.14\times10^8}{725000}}=202.11\ (\mathrm{mm})$$

$$h_{\mathrm{T}}=3.5i=3.5\times202.11=707.39\ (\mathrm{mm})$$

（2）外纵墙高厚比验算

由 $s=56\mathrm{m}$，查表可知，该结构为刚弹性方案，故 $H_0=1.2H=1.2\times8.1=9.72\ (\mathrm{m})$

承重墙 $\mu_1=1.0$，$\mu_2=1-\frac{0.4b_s}{s_1}=1-\frac{0.4\times2.0}{4.0}=0.8$

$\beta=\frac{H_0}{h}=\frac{9.72\times10^3}{707.39}=13.74<\mu_1\mu_2[\beta]=1.0\times0.8\times24=19.2$ 高厚比满足要求。

（3）壁柱间墙体高厚比验算

相邻壁柱间距 $s=4.0\mathrm{m}$，墙高 $H=8.1\mathrm{m}$，$s<H$，查表得

$$H_0=0.6S=0.6\times4.0=2.4\ (\mathrm{m})$$

$$\beta=\frac{H_0}{h}=\frac{2.4}{0.24}=10<\mu_1\mu_2[\beta]=1.0\times0.8\times24$$
$=19.2$ 高厚比满足要求。

12. 某商店门头装饰装修工程为角钢骨架12厚中密度板基层外贴双面铝塑板面层，其工程量为300m^2，试按全国统一建筑装饰装修工程消耗量定额（GYD-901-2002）确定完成该工程需消耗综合工日、角钢、膨胀螺栓、防锈漆、12厚中密度板、玻璃钢瓦及双面铝塑板的数量。

（四）简答题

1. 根据钢材中磷和硫的含量多少，可分为哪几种钢？

答：普通钢、优质钢、高级优质钢、特级优质钢。

2. 牌号为Q235-AF的钢材，试回答下列问题：

（1）Q表示什么？（2）235表示什么？

（3）A表示什么？（4）F表示什么？

答：（1）屈服点　（2）屈服指数　（3）A级　（4）沸腾钢

3. 根据国家标准规定，对碳素结构钢的技术要求应包括哪些方面？

答：化学成分、力学性能、工艺性能。

4. 据彩色涂层钢板的构造不同分为哪几种？

答：涂层钢板、PVC钢板、隔热涂层钢板、高耐久性涂层钢板。

5. 根据钢材应力-应变图，试回答下列问题：

（1）B上点称为什么？（2）B下点称为什么？

（3）屈服点是B上点还是B下点？

答：（1）屈服上限　（2）屈服下限　（3）B下点。

6. 钢材的伸长率，表明的是钢材的何种变形能力？

答：塑性变形能力。

7. 建筑装饰装修工程中，轻钢龙骨的主要技术指标要求包括哪些方面？

答：外观质量、角度允许偏差、内角半径、尺寸允许偏差、力学性能等方面。

8. 建筑装饰装修用钢材的机械性能主要包括哪些方面？

答：抗拉性能、伸长率、冷弯性能、冲击韧性、硬度和耐疲劳性能。

9. 建筑装饰装修用钢材力学性质的主要检验指标是哪些方面？

答：屈服强度、抗拉强度。

10. 钢材的冷弯性能指的是什么？

答：钢材常温下承受弯曲变形的能力。

11. 钢材的冲击韧性指的是什么？

答：钢材抵抗冲击荷载而不破坏的能力。

12. 钢材的硬度指的是什么？

答：钢材表面抵抗较硬物体压入局部体积内的能力。

13. 何为钢材的疲劳破坏？

答：钢材在多变荷载的反复作用下，在远低于屈服强度时的破坏。

14. 何为铝型材的自然着色法？

答：铝材在特定的电解液和电解条件下，进行阳极氧化的同时而产生着色的方法，称为自然着色法。

15. 何为铝型材的电解着色法？

答：对在常规硫酸溶液中生成的氧化膜进一步电解，使电解液中所含金属盐的金属阳离子沉积到氧化膜孔底而着色的方法，称为电解着色法。

16. 什么叫做图纸的自审？自审的基本内容是什么？

答：收到图纸后，施工人员要把全套图纸和有关的技术资料全面查阅一遍，把存在的问题做好记录，待到三方会审图纸时提出解决，这个过程叫做图纸自审。

图纸自审的基本内容是：

（1）查阅图纸的张数，标准图的种类，看是否齐全。

（2）核算尺寸和标高。

（3）核对门窗的型号、数量及装饰情况。

（4）核对楼地面、墙面装饰要求。

（5）核对结构施工图的内容、核算型号、数量，并与建筑施工图比较核对。

（6）核对基础结构布置图，了解对建筑与结构的要求。

（7）复核水电设备等施工图，了解对建筑与结构的要求。

17. 什么叫做图纸会审？会审的基本内容是什么？

答：由建设单位组织召集，有建设单位、设计单位、施工单位及相应的其他单位的技术人员参加的会议，进行图纸交底，核对图纸内容，解决图纸中存在的问题或施工中可能出现的问题，这个会议叫做图纸会审。

图纸会审的基本内容是：

（1）设计单位介绍设计意图，提出施工中的关键问题和注意点。

（2）建设单位介绍工程的概况和基本要求。

（3）施工单位提出图纸中存在问题，交由设计单位给以相应的修改或调整。

（4）提出合理化建议，以改进设计质量。

18. 怎样编制工程的施工方案？

答：首先要熟悉图纸，了解设计要求，知道施工队伍及其技术装备水平，明确单项工程组织设计的内容，了解前道施工工序的情况和现场实际情况。

按以图纸计算实物工程量，进行用工用料的分析，心中有一个具体数量概况。

编制工艺施工技术方案，列出合理的操作流程，提出操作要点及注意事项，必要时画出图纸表示其内容。

编写确保质量和安全的技术措施，最后提交有关部门审核，经批准后才可执行。

19. 施工过程中怎样加强安全管理?

答：(1) 操作工人要有强烈的自我保护意识。

(2) 严格按操作规范施工。

(3) 碰到有安全事故的隐患，应及时采取有效措施，直至停止操作，向有关部门和人员汇报情况。

(4) 危险性较大的工作，应由专人负责安全工作，经常检查安全设施及安全操作情况，并使之及时修改。

20. 班组的施工准备和技术交底各有什么内容?

答：班组的施工准备工作主要有：

(1) 了解设计要求和施工组织设计的内容。

(2) 针对任务进行人员的组织分工。

(3) 踏勘施工现场了解上道工艺的施工情况和设备设置情况。

(4) 制订相应的技术安全措施。

(5) 材料、设备进场。

(6) 重要的工程要先做出样板，经有关部门批准后方可正式施工。

对班组的技术交底的主要内容是：

(1) 说明设计要求和图纸情况介绍。

(2) 提出施工中心技术措施和质量标准。

(3) 说明操作注意事项及安全技术措施。

(4) 对于新工艺要详细介绍其工艺操作依据及工艺施工方法，并进行试做，合格后方可正式施工。

21. 在表上计算法中，网络图的时间参数有哪些?

答:(1) 施工持续时间。

(2) 最早可能开始时间。

(3) 最早可能结束时间。

(4) 最迟必须开始时间。

(5) 最迟必须结束时间。

(6) 总时差。

(7) 局部时差。

22. 总时差与局部时差的区别是什么?

答：总时差和局部时差是性质完全不同的两种时差概念。前者以不影响总工期为限制，是一种线路时差，因此为该线路上的工作所共有；后者，则以不影响后续工作最早开始为限制，带有局部性。掌握并合理应用时差，对于施工的组织与管理具有十分重要的意义。

23. 全面质量管理的特点是什么?

答:(1) 广义的质量概念。

(2) 强调管理的全面性。

(3) 有明确的观点。

(4) 具有一整套科学的工具体系。

24. 全面质量管理的任务是什么?

答：全面质量管理的基本任务是：建立和健全质量管理体系，通过企业经营管理的各项工作，以最低的成本、合理的工期生产出符合设计要求并使用户满意的产品。

全面质量管理的具体任务，主要有以下几个方面：

(1) 完善质量管理的基础工作。

（2）建立和健全质量保证体系。

（3）确定企业的质量目标和质量计划。

（4）对生产过程各工序的质量进行全面控制。

（5）严格质量检验工作。

（6）开展群众性的质量管理活动，如质量管理小组活动等。

（7）建立质量回访制度。

25. 简述 PDCA 循环工作法的工作步骤。

答：PDCA 循环工作法是把质量管理活动归纳为四个阶段，其中共有八个步骤。

（1）计划阶段：在计划阶段，首先要确定质量管理的方针和目标，并提出实现它的具体措施和行动计划。计划阶段包括四个具体步骤：第一步：分析现状，找出存在的质量问题，以便进行调查研究。第二步：分析影响质量的各种因素，找出薄弱环节。第三步：在影响质量的诸因素中，找出主要因素，作为质量管理的重点对象。第四步：制定改进质量的措施，提出行动计划并预计效果。

（2）实施阶段：在这个阶段中，要按既定的措施下达任务，并按措施去执行。这也是 PDCA 循环工作法的第五个步骤。

（3）处理阶段：处理阶段就是把检查之后的各种问题加以处理。这个阶段可分两个步骤：

第一步：正确的要总结，巩固措施，制订标准，形成制度，以便遵照执行。

第二步：尚未解决的问题转入下一个循环，再来研究措施，制定计划，予以解决。

26.PDCA 循环工作法的特点是什么？

答：(1) PDCA循环象一个不断转动着的车轮，重复地不停循环；管理工作越扎实，循环越有效。

(2) PDCA循环的组成是大环套小环，大小环能不停地转动，但又环环相扣。

(3) PDCA循环每转动一次，质量就提高一步，而不是在原来水平上的转动，每个循环所遗留的问题转入下一个循环继续解决。

(4) PDCA循环必须围绕质量标准和要求来转动，并且在循环过程中把行之有效的措施和对策上升为新的标准。

27. 质量保证体系的内容有哪些？

答：(1) 施工准备过程的质量保证。

(2) 施工过程的质量保证。

(3) 使用过程的质量保证。

28. 怎样做好料具供应管理和料具使用管理？

答：料具供应管理：

(1) 合理选择料具供应方式。

(2) 正确编制料具需用量计划，包括分批需用量和使用时间等。

(3) 积极而合理地组织材料的采购、加工、调拨和平衡配套。

(4) 合理地选择和确定施工料具储备定额和储备量。

料具使用管理：

(1) 工程所用主要材料应作为料具使用管理的重点。因为它占工程造价的比例较高，而且对保证施工质量、降低工程成本具有决定性的影响。因此，主要材料的使用管理应在保证施工质量的前提下，充分发挥其最大效用，以降低消耗。

（2）周转性材料的使用管理应做到周转速度快、周转次数多，以降低每次周转的材料摊销量和成本。

（3）生产工具的管理，应做到尽可能延长工具寿命，减少损失和避免丢失的要求。

29. 什么是建筑装饰装修工程施工组织设计？

答：建筑装饰装修工程施工组织设计，是用来指导建筑装饰装修工程全过程各项活动的一个经济、技术、组织等方面的综合性文件。

30. 建筑装饰装修工程施工组织设计有何重要作用？

答：（1）建筑装饰装修工程施工组织设计是沟通设计和施工的桥梁，也可用来衡量设计方案的施工可能性和经济合理性。

（2）建筑装饰装修工程施工组织设计对拟装饰装修工程从施工准备到竣工验收全过程的各项活动起指导作用。

（3）建筑装饰装修工程施工组织设计是施工准备工作的重要组成部分，同时对及时做好各项施工准备工作又能起到促进作用。

（4）建筑装饰装修工程施工组织设计能协调施工过程中各工种之间、各种资源供应之间的合理关系。

（5）建筑装饰装修工程施工组织设计是对施工活动实行科学管理的重要手段。

（6）建筑装饰装修工程施工组织设计是编制工程概、预算的依据之一。

（7）建筑装饰装修工程施工组织设计是施工企业整个生产管理工作的重要组成部分。

（8）建筑装饰装修工程施工组织设计是编制施工作业计划的主要依据。

二、实际操作题

1. 题目：门扇包不锈钢板

考核项目及评分标准

序号	考核项目	检查方法	测量	允许偏差	评分标准	满分	得分
1	选材：饰面板品种、规格、性能	观察、合格证	任意		不符合要求每点扣3分	10	
2	板材裁板下料	尺量	任意	1mm	不符合要求每点扣3分	10	
3	黏结材料选择	观察、合格证	任意		不符合要求每点扣3分	10	
4	板材黏结表面平整	观察2m靠尺和楔形塞尺检查	任意	3mm	不符合要求每点扣2分	10	
5	板材黏结阴阳角方正	用200mm方尺检查	任意	3mm	不符合要求扣2分	10	
6	板材黏结接缝平直	拉5m线检查，不足5m拉通线检查		0.5mm	不符合要求扣2分	10	
7	板材粘贴接缝高低	用直尺和楔形塞尺检查		1mm	不符合要求扣2分	10	
8	工艺操作规程				错误无分，局部错误扣1～9分	10	
9	安全生产				有事故无分，有事故隐患扣1～4分	5	
10	文明施工				工完料不清扣5分	5	
11	工效				低于定额90%无分，在90%～100%之间酌情扣分，超过定额者，酌情加1～3分	10	

2. 题目：广告牌钢骨架制作

考核项目及评分标准

序号	考核项目	检查方法	测量	允许偏差	评分标准	满分	得分
1	型钢材质、规格	观察、合格证	任意		不符合要求每点扣3分	10	
2	型钢连接方法正确、牢固	观察、手扳	任意		不符合要求每点扣3分	15	
3	招牌固定牢固	观察、手扳	任意		不符合要求每点扣3分	15	
4	防锈、防腐处理	观察	任意		不符合要求每点扣3分	10	
5	形体准确、表面平整	尺量	任意	3mm	不符合要求每点扣3分	10	
6	工艺操作规程				错误无分，局部错误扣1～9分	10	
7	安全生产				有事故无分，有事故隐患扣1～4分	10	
8	文明施工				工完料不清扣5分	10	
9	工效				低于定额90%无分，在90%～100%之间酌情扣分，超过定额者，酌情加1～3分	10	

3. 题目：方柱面不锈钢饰面板

考核项目及评分标准

序号	考核项目	检查方法	测量	允许偏差	评分标准	满分	得分
1	选材：饰面板品种、规格、性能	观察、合格证	任意		不符合要求每点扣3分	10	
2	板材裁板下料	尺量	任意	1mm	不符合要求每点扣3分	10	
3	黏结材料选择	观察、合格证	任意		不符合要求每点扣3分	10	
4	板材黏结表面平整	观察2m靠尺和楔形塞尺检查	任意	3mm	不符合要求每点扣2分	10	
5	板材黏结阴阳角方正	用200mm方尺检查	任意	3mm	不符合要求扣2分	10	
6	板材黏结接缝平直	拉5m线检查，不足5m拉通线检查		0.5mm	不符合要求扣2分	10	
7	板材粘贴接缝高低	用直尺和楔形塞尺检查		1mm	不符合要求扣2分	10	

续表

序号	考核项目	检查方法	测量	允许偏差	评分标准	满分	得分
8	工艺操作规程				错误无分，局部错误扣1～9分	10	
9	安全生产				有事故无分，有事故隐患扣1～4分	5	
10	文明施工				工完料不清扣5分	5	
11	工效				低于定额90%无分，在90%～100%之间酌情扣分，超过定额者，酌情加1～3分	10	

4. 题目：铝塑板墙面（铝合金复合板）

考核项目及评分标准

序号	考核项目	检查方法	测量	允许偏差	评分标准	满分	得分
1	选材：饰面板品种、规格、性能	观察、合格证	任意		不符合要求每点扣3分	10	
2	板材裁板下料	尺量	注意	1mm	不符合要求每点扣3分	10	

续表

序号	考核项目	检查方法	测量	允许偏差	评分标准	满分	得分
3	黏结材料选择	观察、合格证	任意		不符合要求每点扣3分	10	
4	板材黏结表面平整	观察2m靠尺和楔形塞尺检查	任意	3mm	不符合要求每点扣2分	10	
5	板材黏结阴阳角方正	用200mm方尺检查	任意	3mm	不符合要求扣2分	10	
6	板材黏结接缝平直	拉5m线检查，不足5m拉通线检查		0.5mm	不符合要求扣2分	10	
7	板材粘贴接缝高低	用直尺和楔形塞尺检查		1mm	不符合要求扣2分	10	
8	工艺操作规程				错误无分，局部错误扣1～9分	10	
9	安全生产				有事故无分，有事故隐患扣1～4分	5	
10	文明施工				工完料不清扣5分	5	
11	工效				低于定额90%无分，在90%～100%之间酌情扣分，超过定额者，酌情加1～3分	10	

第五章 金属工高级技师

一、理论部分

(一) 是非题（对的打“√”，错的打“×”）

1. 由铁、碳、硅、锰、磷、硫及少量其他元素组成的合金称为钢。 (√)

2. 钢是以铁和碳为主的合金，根据碳的含量高低分为钢和铁。 (√)

3. 根据冶炼炉种不同，氧气转化炉钢的质量最好。 (√)

4. 平炉钢是由生铁、铁矿石和废钢为主要原料的。 (√)

5. 平炉钢的主要燃料是煤和煤气。 (×)

6. 氧气转炉钢是由炉底风孔吸入氧气的。 (×)

7. 氧气转炉钢吹入氧气的主要目的是助燃。 (×)

8. 电炉钢是冶炼成本最高的一种钢材。 (√)

9. 电炉主要用于冶炼优质碳素钢和特殊合金钢。 (√)

10. 沸腾钢是在钢液冷却时有大量一氧化碳外逸，引起钢液激烈沸腾而得名。 (√)

11. 镇静钢是建筑工程中首选的优质钢材。 (√)

12. 半镇静钢由于质量较好，价格适中，是建筑装饰装修工程用量较大的一种钢材。 (√)

13. 钢的含碳量越高，其强度越大，但其韧性和可焊性降低。 (√)

14. 用Q235钢轧成的各种型材、钢板和管材是建筑钢

结构的主要用材。（×）

15. 强度低、塑性大、受力后变形也大的钢材是 Q215 钢材。（√）

16. 建筑装饰装修工程中采用低合金高强度结构钢的主要目的是减轻结构的重量和提高使用寿命。（√）

17. 在钢材的锈蚀破坏中，化学腐蚀是一种难以避免的一种腐蚀。（×）

18. 钢材的电化学腐蚀主要是空气湿度大，其表面发生“微电池”作用而引起的。（√）

19. 在钢中加入铬元素的目的是提高钢的抗腐蚀性。（×）

20. 铬元素含量越高，钢的抗腐蚀性能也越高。（√）

21. 建筑装饰装修用钢材的机械性能，是指抗拉和抗压两种性能。（×）

22. 常用低碳钢的屈服点为 185～235MPa。（√）

23. 常用低碳钢的抗拉强度为 400～500MPa。（×）

24. 屈服点与抗拉强度比值称为屈强比。（√）

25. 屈强比越小，结构的安全性越低。（×）

26. 屈服强度和抗拉强度是钢材力学性能的主要指标。（√）

27. 同一种钢材伸长率 δ_{10} 大于 δ_5 的伸长率。（×）

28. 钢材的伸长率是表明钢材塑性变形能力的重要指标。（√）

29. 钢材的冷弯性能不仅表明钢材的弯曲变形能力，也表明钢材的工艺性能。（√）

30. 试件弯曲处不裂缝、不断裂、不起层是冷弯性能合格的钢材。（√）

31. 钢材的冲击韧性是指抵抗冲击荷载破坏的能力。（×）

32. 钢材的冲击韧性随温度的降低而升高。（×）

33. 脆性临界温度越低，表明钢材的低温冲击性能越好。（√）

34. 随时间的延长钢材的强度提高，但塑性和冲击韧性下降，此种现象称为钢材的时效。（√）

35. 常用测试钢材硬度的方法是布氏法和洛氏法。（√）

36. 钢材在远低于屈服强度时的突发破坏，称为钢材的疲劳破坏。（√）

37. 钢材的疲劳破坏主要是由压应力引起的。（×）

38. 钢材的抗拉强度越高，其疲劳极限也越高。（√）

39. 在铝中加入锰元素的主要目的是提高抗腐蚀能力。（√）

40. 防锈铝合金是不能热处理强化的铝合金。（√）

41. 硬铝合金是可以热处理强化，又可变形强化的合金。（√）

42. 硬铝合金的不足之处是抗腐蚀性较差。（√）

43. “电解着色”铝合金是目前国际上各方面性能均比较好的装饰性铝合金。（√）

44. 要求塑性好、冲击韧性高、抗裂能力强或低温性能好的结构，一般选用碱性焊条。（√）

45. 当构件受力不复杂、母材质量较好的结构，一般选用酸性焊条。（√）

46. 建筑装饰装修工程施工组织设计是建筑装饰装修工程施工前的必要准备工作之一，是合理组织施工和加强施工管理的一项重要措施。（√）

47. 建筑装饰装修工程施工组织设计是以民用建筑群以及结构复杂、技术要求高、建设工期长、施工难度大的大型公共建筑和高层建筑的装饰装修为对象编制的。(√)

48. 单位建筑装饰装修工程施工组织设计是以一个单位工程的装饰装修为对象编制的。(√)

49. 分部（分项）建筑装饰装修工程作业设计是以一些主要的或新结构、技术复杂的或缺乏施工经验的分部（分项）工程的装饰装修为对象编制的。(√)

50. 由于装饰装修工程的工艺比较复杂，施工难度也比较大，因此在施工前必须明确主要施工项目。(√)

51. 建筑装饰装修工程施工任务的承接方式，同土建工程一样有两种：一种是通过招标投标承接，一种是由建设单位委托施工单位承接。目前，应用最广泛的是前一种。(√)

52. 建筑装饰装修工程施工准备工作的主要目的，是为全面施工创造良好的环境和条件，确保整个建筑装饰装修工程施工的顺利进行。(√)

53. 建筑装饰装修工程施工的准备工作，不能分阶段地进行。(√)

54. 建筑装饰装修工程施工的施工条件与物资准备，主要是为建筑装饰装修工程全面施工创造良好的施工条件和物资保证。(√)

55. 流水施工能使施工过程具有连续性和均衡性，能合理地组织施工，取得较好的经济效益，所以在建筑装饰装修工程施工组织中常被广泛采用。(√)

56. 劳动力的组织安排问题，不是建筑装饰装修工程施工组织中的基本问题。(×)

57. 在组织建筑装饰装修工程施工时，首先应该将施工

对象划分成若干个施工过程。（√）

58. 如果一个建筑装饰装修工程规模较小，不能划分施工区段，并且没有其他工程任务可以与此组织流水施工，则该工程就不能组织流水施工。（√）

59. 直接在施工现场与工程对象上进行的施工过程，可以划入流水施工过程，而场外的施工内容（如零配件的加工）可以不划入流水施工过程。（×）

60. 流水步距的大小，反映着流水作业的紧凑程度，对工期起着很大的影响。在流水段不变的条件下，流水步距越大，工期越短，流水步距越小，则工期越长。（×）

61. 工作线反映施工过程（工人操作、机械布置）在空间上布置的可能性。（√）

62. 节奏流水施工过程的施工进度线，在垂直图上是一条斜率变化的曲线。（×）

63. 非节奏流水的工期计算，主要是确定各施工过程的流水步距。（√）

64. 在网络图中，工作需要消耗时间和资源。（√）

65. 虚工作在网络图中没有任何意义。（√）

66. 在网络图中，表示工作的箭杆的长短需要按比例绘制，它的长度及方向是固定的。（×）

67. 在网络图中，在一定条件下，关键线路和非关键线路是可以相互转化的。（√）

68. 横道计划是结合时间坐标线，用一系列水平线段分别表示各施工过程的施工起止时间及其先后顺序的。（√）

69. 网络计划是由一系列箭杆和节点所组成的网状图形来表示各施工过程先后顺序的逻辑关系的。（√）

70. 网络图的绘制是网络计划应用的关键。（√）

71. 一张网络图只能有一个开始事件和一个结束事件。（√）

72. 在网络图中，出现闭合回路是难免的。（×）

73. 在网络图中，事件编号的编制可以沿水平方向从左到右或沿垂直方向从上到下按圆圈逐个进行。（√）

74. 事件的最早可能开始时间，表明该事件紧前工作全部完成的时间，也反映该事件紧后工作的可能开始。（√）

75. 时标网络计划既明确表达了横道计划中各施工过程之间的逻辑关系，又直观地表达了网络计划的时间。（√）

76. 自上而下的建筑装饰施工程序，一般有水平向下和垂直向下两种形式。（√）

77. 自下而上的建筑装饰施工程序，只有水平向上这种形式。（×）

78. 在门窗工程施工中，门窗扇的安装，通常是在抹灰前进行。（√）

79. 单位建筑装饰装修工程施工进度计划是控制各分部分项工程施工进度的主要依据。（√）

80. 控制性进度计划适用于任务具体而明确、施工条件基本落实、各项资源供应正常、施工工期不太长的工程。（√）

81. 技术组织措施是建筑装饰装修企业施工技术和财务计划的一个重要组成部分。（√）

82. 招标与投标是经济合作中习惯采用的一种买卖双方成交的方式。（√）

83. 招标文件是招标单位介绍工程概况和说明工程要求、标准的书面文件，是工程招标的核心，也是投标报价的依据。（√）

84. 招标的准备工作对建筑装饰装修施工企业整个投标活动至关重要。 (√)

85. 投标的策略主要体现在建筑装饰装修工程质量上。 (×)

86. 在合同履行中，发生争议或纠纷时，合同双方应主动协商，本着实事求是的原则，尽量求得合理解决。如协商不成，任何一方均可向合同约定的仲裁机构申请调解仲裁。若调解无效、仲裁不服，可向经济法院提出诉讼、裁决。 (√)

87. 定额的高低与建筑装饰装修施工企业的生产技术和计划管理水平的高低无关。 (×)

88. 执行计划的关键是要全面完成各项计划指标。 (×)

89. 技术管理在建筑装饰装修施工企业中，具有十分重要的地位。 (√)

90. 技术责任制是建筑装饰装修施工企业中的高层次工作。 (×)

91. 分项工作技术交底是各级技术交底的关键。 (√)

92. PDCA 循环法是全面质量管理的基本方法。 (√)

93. 料具管理是对料具使用过程的管理。 (×)

94. 定额用料的程序和做法，大体分为签发、下达、应用、检查、验收、结算六个步骤。 (√)

95. 电动曲线锯的锯条锯割是曲线的往复运动。 (×)

96. 型材切割机开动后，应首先注意砂轮片旋转方向是否与保护罩上标注的方向一致，如不一致，应立即停车，调换插头中的电源线。 (√)

97. 建筑装饰装修工程中所使用的材料、成品、半成品等，如果为进口材料只需按规定进行商品检验即可，其说明

书可为中文、英文等任何文字。 （×）

98. 无论任何情况，工程中所使用的装饰装修材料，只需有产品合格证、中文说明及相关性能的检测报告即可，无需进行见证检测。 （×）

（二）选择题（每题正确答案填在横线上）

1. 含碳量大于__C__的铁碳合金称为铁。

A.2.02% B.2.04%

C.2.06% D.2.08%

2. 含碳量小于__C__的铁碳合金称为钢。

A.2.03% B.2.05%

C.2.06% D.2.07%

3. 钢的含碳量高，说明钢的强度__B__。

A. 小 B. 大

C. 中等 D. 最低

4. 用低合金高强度结构钢代替普通碳素钢，可节约钢材__D__。

A.10%～15% B.15%～20%

C.20%～25% D.20%～30%

5. 低碳钢，碳的含量小于__B__。

A.0.20% B.0.25%

C.0.30% D.0.35%

6. 中碳钢，碳的含量是__C__。

A.0.2%～0.4% B.0.23%～0.5%

C.0.25%～0.6% D.0.30%～0.70%

7. 高碳钢，碳的含量是__D__。

A.0.5%～2.0% B.0.6%～2.04%

C.0.55%～2.06% D.0.60%～2.06%

8. 合金元素含量小于__A__为低合金钢。

A.5%　　B.6%

C.7%　　D.8%

9. 合金元素含量是__B__为中合金钢

A.5%~8%　　B.5%~10%

C.6%~8%　　D.6%~10%

10. 合金元素含量大于__C__为高合金钢。

A.8%　　B.9%

C.10%　　D.12%

11. 钢材的疲劳破坏主要是由__A__引起的。

A. 拉应力　　B. 压应力

C. 剪应力　　D. 拉压应力共同作用

12. 在阳极氧化的方法中，__D__应用最广。

A. 草酸法　　B. 醋酸法

C. 铬酸法　　D. 硫酸法

13. 根据国家标准规定，普通钢，硫和磷的含量小于__C__。

A. 硫 0.045%，磷 0.035%

B. 硫 0.03%，磷 0.04%

C. 硫 0.05%，磷 0.045%

D. 硫 0.06%，磷 0.045%

14. 根据国家标准规定，优质钢，硫和磷的含量小于__A__。

A. 硫 0.035%，磷 0.035%

B. 硫 0.03%，磷 0.03%

C. 硫 0.02%，磷 0.02%

D. 硫 0.025%，磷 0.025%

15. 根据国家标准规定，高级优质钢，硫和磷的含量小于__B__。

A. 硫 0.03%，磷 0.03%

B. 硫 0.025%，磷 0.025%

C. 硫 0.02%，磷 0.02%

D. 硫 0.015%，磷 0.015%

16. 根据国家标准规定，特级优质钢，硫和磷的含量小于__C__。

A. 硫 0.01%，磷 0.02%

B. 硫 0.02%，磷 0.03%

C. 硫 0.015%，磷 0.025%

D. 硫 0.02%，磷 0.015%

17. 根据国家规定，碳素结构钢牌号中表示屈服点的字母是__A__。

A.Q　　B.J　　C.D　　D.Y

18.Q235-AF 的沸腾碳素结构钢，碳的含量是__C__。

A.0.12%～0.20%　　B.0.13%～0.21%

C.0.14%～0.22%　　D.0.15%～0.23%

19.Q235-AF 的沸腾碳素结构钢，锰的含量是__B__。

A.0.30%～0.60%　　B.0.35%～0.65%

C.0.40%～0.60%　　D.0.45%～0.65%

20.Q235-AF 的沸腾碳素结构钢，硅的含量不大于__C__。

A.0.2%　　B.0.25%

C.0.30%　　D.0.35%

21.Q235-AF 的沸腾碳素结构钢，硫的含量不大于__C__。

A.0.03%　　　　　　　B.0.04%

C.0.05%　　　　　　　D.0.06%

22.Q235-AF 的沸腾结构碳素钢，磷的含量不大于__D__。

A.0.030%　　　　　　B.0.035%

C.0.040%　　　　　　D.0.045%

23.在建筑装饰装修工程中，小于__C__mm 的不锈钢薄钢板用的最多。

A.1.0　　B.1.5　　C.2.0　　D.2.5

24.彩色不锈钢板的色彩，在__B__的温度下不变色。

A.100℃　　　　　　B.200℃

C.250℃　　　　　　D.300℃

25.具有良好的可加工性彩色不锈钢板，当弯曲到__D__时，彩色层不会损坏。

A.60°　　B.70°　　C.80°　　D.90°

26.具有良好的耐高温性能的彩色涂层钢板，在 120℃的烘箱内连续加热__D__h，涂层光泽和颜色不变。

A.48　　B.60　　C.80　　D.90

27.具有良好的耐低温性能的彩色涂层钢板，在-54℃低温下放置__B__h 后，涂层弯曲和冲击性能无明显变化。

A.12　　B.24　　C.36　　D.48

28.彩色涂层钢板具有很好的耐沸水性，在沸水中浸泡__A__min 后，表面光泽和颜色不变。

A.60　　B.90　　C.100　　D.120

29.铝合金浅花纹板比普通钢板的强度大__C__。

A.10%　　B.15%　　C.20%　　D.25%

30.铝合金浅花纹板对白光的反射率可达__D__。

A.50%～60%　　B.75%～85%

C.70%～80%　　D.75%～90%

31. 铝合金浅花纹板的热反射率可达＿D＿。

A.70%～80%　　B.75%～85%

C.80%～90%　　D.85%～95%

32. 根据静荷载试验，吊顶轻钢主龙骨的最大挠度不大于＿C＿mm。

A.3　　B.4　　C.5　　D.6

33. 根据静荷载试验，吊顶轻钢次龙骨的最大挠度不大于＿D＿mm。

A.5　　B.7　　C.9　　D.10

34.Q75 系列以下的轻钢龙骨，用于层高＿C＿m 以下的隔墙。

A.2.8　　B.3.0　　C.3.5　　D.4.0

35.Q75 系列以上的轻钢龙骨，用于层高＿C＿m 的隔墙。

A.3～4　　B.3.5～5

C.3.5～6　　D.3.5～7

36. 常用低碳钢的屈服点是＿C＿MPa。

A.160～220　　B.180～230

C.185～235　　D.190～240

37. 常用低碳钢的抗拉强度是＿D＿MPa。

A.300～400　　B.320～420

C.360～450　　D.380～470

38. 常用的合理屈强比是＿A＿。

A.0.6～0.75　　B.0.5～0.65

C.0.4～0.55　　D.0.3～0.45

39. 对碳素钢当 HB<175 时，其抗拉强度约为 HB 的__D__倍。

A.2.6　　B.3.0　　C.3.5　　D.3.6

40. 对碳素钢当 HB>175 时，其抗拉强度约为 HB 的__B__倍。

A.3.0　　B.3.5　　C.4.0　　D.4.5

41. 普通黄铜是铜与锌的合金，其中铜与锌的含量是__C__。

A. 铜 60%，锌 40%　　B. 铜 70%，锌 30%

C. 铜 80%，锌 20%　　D. 铜 90%，锌 10%

42. 白铜是以铜镍为主的合金，其镍的含量一般为__C__。

A.5%～15%　　B.10%～20%

C.10%～30%　　D.10%～35%

43. 在所有金属中，导电性最好的是__D__。

A. 铜　　B. 铝　　C. 铁　　D. 银

44. 国产焊条的最大直径是__C__mm。

A.5　　B.6　　C.7　　D.8

45. 焊芯牌号中带“A”字母者，其硫和磷的含量均不能超过__B__。

A.0.02%　　B.0.03%

C.0.04%　　D.0.05%

46. 建筑装饰装修工程组织设计，是一个__A__。

A. 综合性文件　　B. 承包合同

C. 施工计划方案　　D. 投标书

47. 选择正确的__B__，是建筑装饰装修工程施工组织设计的关键。

A. 施工方法　　B. 施工方案

C. 施工项目　　D. 施工平面图

48. 对于外墙装饰装修工程，应在结构工程完成后__A__地进行。

A. 自上而下　　B. 自下而上

C. 从左到右　　D. 从右到左

49. 建筑装饰装修工程施工预算是以每一个__B__为对象而编制的。

A. 分部工程　　B. 分项工程

C. 施工单位　　D. 装饰工程

50. 建筑装饰装修工程施工的最佳方法是__C__。

A. 依次施工　　B. 平行施工

C. 流水施工　　D. 顺序施工

51. 流水施工的工艺参数包括__A__。

A. 流水强度　　B. 流水步距

C. 流水过程数　　D. 施工段数

52. 流水施工的时间参数包括__B__。

A. 施工过程数　　B. 流水节拍

C. 流水步距　　D. 工作面数

53. 流水施工的空间参数包括__C__。

A. 流水强度　　B. 流水节拍

C. 施工段数　　D. 工作面数

54. 流水步距的数目，取决于参加流水施工的施工过程数。如果施工过程数为 n，则流水步距的总数为__C__。

A. n　　B. $n+1$

C. $n-1$　　D. $n-2$

55. 当建筑装饰装修工程的施工对象有层高关系，分段又分层时，每一层的最少施工段数 m_0 与施工过程数 n 应满足__B__。

A. $m_0 \leqslant n$　　B. $m_0 \geqslant n$

C. $m_0 > n$　　D. $m_0 < n$

56. 当__C__时，工作队不能连续施工，会出现窝工现象。

A. $m_0 = n$　　B. $m_0 > n$

C. $m_0 < n$　　D. $m_0 \geqslant n$

57. __B__能反映流水施工的特点。

A. 网络计划　　B. 流水网络计划

C. 时标网络计划　　D. 单代号网络图

58. 网络图的箭杆线以__A__为主，以__C__为辅。

A. 水平线　　B. 竖线

C. 斜线　　D. 曲线

59. 在网络图中，箭杆线应保持__A__的方向。

A. 从左到右　　B. 从右到左

C. 从上到下　　D. 从下到上

60. 在实际工作中，常用__A__表示阶段性目标的完成时间。

A. 结束事件　　B. 中间事件

C. 起点事件　　D. 终点事件

61. 在网络图中，总时差为 0 的工作系__A__。

A. 关键工作　　B. 非关键工作

C. 开始工作　　D. 结束工作

62. 时距箭杆所表示的时距有__A、B、C、D__。

A. 开始时距　　B. 结束时距

C. 间歇时距　　　　　　D. 跨控时距

63. __B__只有工作，没有事件。

A. 双代号网络图　　　　B. 单代号网络图

C. 时标网络计划　　　　D. 流水网络计划

64. 单位建筑装饰装修工程施工组织设计一般是由__B__组织有关人员进行编制的。

A. 施工总包单位工程师

B. 该工程主管工程师

C. 施工总包单位总工程师

D. 施工技术员

65. 对于外墙装饰装修，可采用__A__的施工流向；对于内墙装饰装修，可采用__A、B、C__的施工流向。

A. 自上而下

B. 自下而上

C. 自中而下再自上而中

D. 自上而中再自下而中

66. 自中而下再自上而中的施工流向一般适用于__D__的装饰装修工程施工。

A. 住宅　　　　　　　　B. 办公楼

C. 厂房　　　　　　　　D. 高层建筑

67. 建筑装饰装修工程成本中的直接费用，包括__A、B、C、D__。

A. 工人工资　　　　　　B. 机械费

C. 材料费　　　　　　　D. 其他直接费用

68. 中标单位确定后，应由招标单位填写中标通知书，经上级主管部门审核签发后，通知中标单位，并应在__A__内签订工程承包合同。

A. 一个月　　　　　　　　B. 半个月

C. 一个半月　　　　　　　D. 两个月

69. <u>A</u> 多用于有把握的建筑装饰装修工程。

A. 总价不变合同　　　　　B. 单价合同

C. 成本加酬金合同　　　　D. 统包合同

70. 建筑装饰装修施工企业计划管理的基本工作，主要有 <u>A、B、C</u> 。

A. 定额工作　　　　　　　B. 原始记录

C. 统计工作　　　　　　　D. 质量检查

71. 长期计划的计划期一般是指 <u>B</u> 年以上的发展计划和 <u>C</u> 年以上的远景计划。

A.2～3　　　　　　　　　B.3～5

C.10　　　　　　　　　　D.15

72. 电器控制的基本规律有 <u>B</u> 。

A. 欧姆定律

B. 联锁控制规律或参量控制规律

C. 行程控制规律

D. 以上各规律都是

73. 空气净化不包括 <u>B</u> 。

A. 除尘　　　　　　　　　B. 加湿

C. 除臭　　　　　　　　　D. 离子化

74. 室内消火栓在装饰装修中的布置与处理，下列哪种做法是错误的。<u>B</u>

A. 楼梯间

B. 走廊、大厅等部位的消火栓可据需要加以覆盖

C. 车间的出入口

D. 消防电梯前室

75. 当图书馆发生火灾时，应采用＿C＿灭火。

A. 室内消火栓灭火系统

B. 泡沫灭火系统

C. 卤化烷灭火系统或 CO_2 灭火系统

D. 以上各法都可以

76. 建筑装饰装修工程的招投标过程中，＿D＿的方式不可取。

A. 公平

B. 公正

C. 平等竞争

D. 以低价的方式选择中标单位

77. 目前，在招投标过程中，对工程造价的确定，我国遵循＿D＿原则进行。

A. 国家对定额不进行统一管理

B. 工程造价按市场经济规律定价

C. 以最低报价的方式确定工程造价

D. 我国对造价的控制按"控制量、放开价、竞争费"的原则进行操控

78. 承包方遇有索赔时，应在规定的期限内尽早向建设单位报送索赔通知，详细说明索赔的项目和具体要求，以免失掉索赔的机会。下列哪种做法不可取。＿D＿

A. 索赔依据可靠　　B. 索赔费用准确

C. 严格遵守索赔期限　　D. 据需要进行索赔

79. 临时供电设计不包括＿A＿

A. 用电量分配方案的确定　　B. 电源选择

C. 电力系统选择　　D. 电力系统布置

80. 确定施工起点定向时应考虑的问题中不包括＿D＿。

A. 施工的繁简程度　　　　B. 施工方便、构造合理

C. 保证质量、防止污染　　D. 考虑工程的总用工量

81. 选择施工机具时，下列哪种做法不可取。__A__

A. 施工机具的种类和型号尽可能的全

B. 选择时应首先考虑充分发挥本单位现有施工机具的能力

C. 辅助机具与主导机具的生产能力协调配套

D. 施工机具的种类和型号尽可能少

82. 建筑装饰过程中，下列哪种做法与环境保护无关。__B__

A. 防止废水、废气污染

B. 消除粉尘、废气等对工程质量和安全的影响

C. 防止垃圾、粉尘污染

D. 防止噪声污染

83. 单位施工组织设计的技术经济指标不包括__B__。

A. 工期劳动生产率指标

B. 质量、安全措施

C. 降低成本、机械化施工程度

D. 主要材料节约指标

84. 建筑装饰施工过程中的“三大”控制中不包括__C__。

A. 进度控制　　　　　　　B. 质量控制

C. 人员控制　　　　　　　D. 投资控制

（三）计算题

1. 某商场外门的门框采用不锈钢板包门框，其工程量为 $25m^2$，其骨架为钢骨架，试按全国统一建筑装饰装修工程消耗量定额（GYD-901-2002）确定完成该工程需消耗综

合工日、角钢、不锈钢板、带帽螺栓、自攻螺丝、预埋铁件的数量。

2. 某装饰装修工程，其轻钢龙骨轻质隔墙工程按施工计划安排需要 7 周完成，每周计划完成任务量百分比分别为 5%、10%、15%、20%、25%、15%、10%；试做出其计划图并在施工图中进行跟踪比较。

解：(1) 编制横道图进度计划。这里为了简便起见，只表示了轻钢龙骨轻质隔墙工程的计划时间和进度横线，如图 3-1 所示。

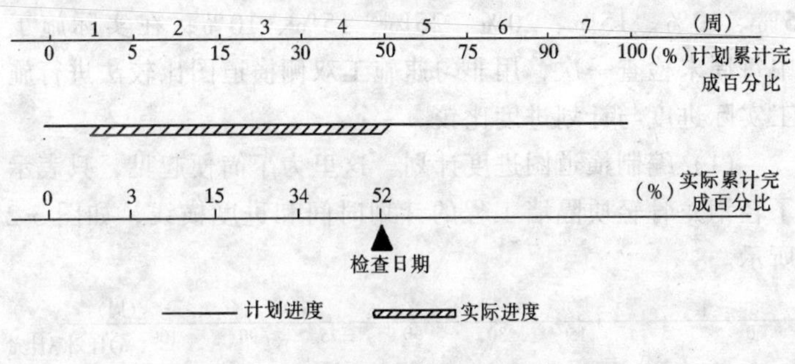

图 3-1 非匀速施工单侧横道图比较图

(2) 在计划横道线上方标出轻钢龙骨轻质隔墙工程每周计划完成任务的累计百分比分别为 5%、15%、30%、50%、75%、90%、100%。

(3) 在横道线的下方标出工作 1 周、2 周、3 周末和检验时实际完成任务的累计百分比，分别为：3%、15%、34%、52%（这里仅跟踪实际进度到第四周末）

(4) 用阴影填充线标出实际进度线。从图 3-1 中可看出，实际开始工作时间比计划时间晚了半周，而开始后是连续工作的。

（5）比较实际进度与计划进度的偏差。从图 3-1 中可看出：第 1 周末的实际进度比计划进度拖后 2%；本周实际完成总任务的 3%。第 2 周末的实际进度与计划进度一致，本周完成了总任务的 12%，实际比原计划超额完成 2%。第 3 周末的实际进度比计划进度超前 4%；本周计划完成 15%，实际完成 19%。第 4 周末的实际进度比计划进度超前 2%；本周计划完成 20%，实际完成 18%，拖欠了 2%。

3. 装饰装修工程，其轻钢龙骨轻质隔墙工程按施工计划安排需要 7 周完成，每周计划完成任务量百分比分别为 5%、10%、15%、20%、25%、15%、10%；在实际施工中每周末检查一次，用非匀速施工双侧横道图比较法进行施工实际进度与计划进度比较。

（1）编制横道图进度计划。这里为了简便起见，只表示了轻钢龙骨轻质隔墙工程的计划时间和进度横线，如图 3-2 所示。

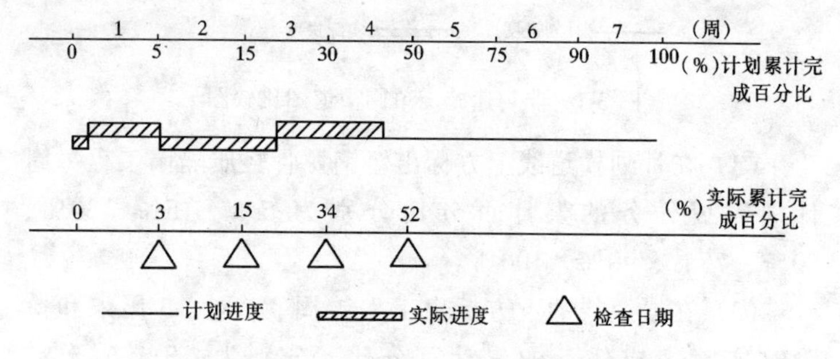

图 3-2 非匀速施工双侧横道图

（2）在计划横道线上方标出轻钢龙骨轻质隔墙工程每周计划完成任务的累计百分比分别为 5%、15%、30%、50%、75%、90%、100%。

(3) 计划横道线的下方，标出该工作每周末检查的实际完成任务的累计百分比。从第一周末到第四周末分别为3%、15%、34%、52%。

(4) 阴影填充线在计划横道线的上下方交替按比例画出上述百分比。

(5) 比较实际进度与计划进度。

非匀速施工双侧横道图比较法，除了能提供前两种方法提供的信息外，还能用各段阴影填充线长度表达在相应检查期间内工作实际进度，便于比较各阶段工作完成情况。但绘制方法和识别都比前两种方法复杂。

综上所述可以看出：横道图比较法具有记录方法简单、形象直观、容易掌握、应用方便等优点，因而被广泛地应用于简单的进度监测工作中。但由于它是以横道图进度计划为基础，因此带有其不可克服的局限性。如各工作之间的逻辑关系不明显、关键工作和关键线路无法确定等。一旦某些工作进度产生偏差时，难以预测其对后续工作和整个工期的影响，因而也难以确定计划的调整方法。

4. 某室内顶棚采用装配式U型轻钢龙骨（不上人型）顶棚，龙骨间距为450mm，形式为平面式，其工程量为1000m^2，要求10天完成，其工程进展安排见表3-1，试绘制该顶棚工程的S形曲线。

表 3-1

时间（天）	j	1	2	3	4	5	6	7	8	9	10	合计
每日完成量	q_j	2	6	10	14	18	18	14	10	6	2	100

5. 已知T形截面尺寸 $b=200$mm，$b'_f=400$mm，$h'_f=100$mm，$h=600$mm，混凝土为C20，钢筋为Ⅱ级3Φ28

($A_s = 1847mm^2$)，设计弯矩 $M = 252kN \cdot m$，试验算截面是否安全。

解：由已知条件：$f_c = 9.6N/mm^2$，$f_y = 300N/mm^2$，

$$h_0 = 600 - \left(25 + \frac{28}{2}\right) = 561 \text{ (mm)}$$

(1) 判别类型

$a_1 f_c b'_f h'_f = 1.0 \times 9.6 \times 400 \times 100 = 384000$ (N·m)

$f_y A_s = 300 \times 1847 = 554100$ (N·m)

$a_1 f'_c b'_f h'_f < f_y A_s$，属于第二类 T 形截面。

(2) 计算受弯承载能力 M_u

$$x = \frac{f_y A_s - a_1 f_c (b'_f - b) h'_f}{a_1 f_c b}$$

$$= \frac{300 \times 1847 - 1.0 \times 9.6 \times (400 - 200) \times 100}{1.0 \times 9.6 \times 200}$$

$= 188.59$ (mm) $< \xi_b h_0$

$= 0.55 \times 561 = 308.55$ (mm)

$$M_u = a_1 f_c bx \left(h_0 - \frac{x}{2}\right) + a_1 f_c (b'_f - b) h'_f \left(h_0 - \frac{h'_f}{2}\right)$$

$$= 1.0 \times 9.6 \times 200 \times 188.59 \times \left(561 - \frac{100}{2}\right)$$

$$+ 1.0 \times 9.6 \times (400 - 200) \times 100 \times \left(561 - \frac{100}{2}\right)$$

$= 267.1 \times 10^6$ (N·mm)

$= 267.1$ (kN·m) $> M = 168$ (kN·m)

故此截面安全。

6. 壁柱窗间墙截面尺寸如图 3-3 所示。计算高度 $H_0 = 9.72m$，采用 MU10 砖、M5 混合砂浆砌筑，柱底截面的轴向力设计值为 200kN，弯矩设计值为 30kN·m，荷载偏向肋部一侧，试验算该柱的承载能力。

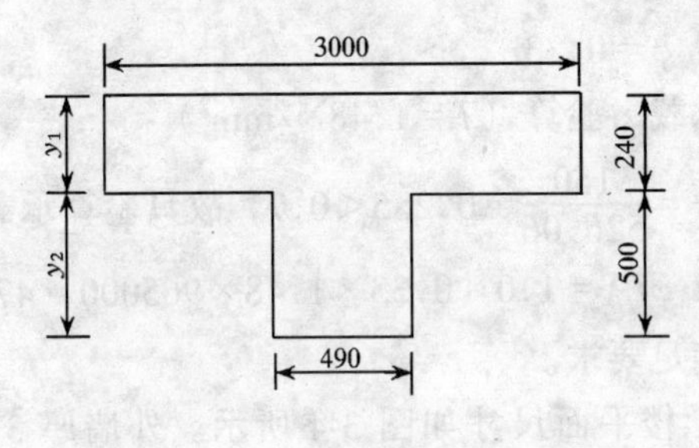

图 3-3

解：（1）求计算参数

$$A = 3000 \times 240 + 490 \times 500 = 965000\ (\text{mm}^2)$$
$$= 0.965\text{m}^2 > 0.3\text{m}^2 \quad 故\ \gamma_a = 1.0$$

$$y_1 = \frac{3000 \times 240 \times 120 + 490 \times 500 \times (240 + 250)}{965000}$$
$$= 526.06\ (\text{mm})$$

$$I = \frac{1}{12} \times 3000 \times 240^3 + 3000 \times 240 \times (213.94 - 120)^2$$
$$+ \frac{1}{12} \times 490 \times 500^3 + 490 \times 500 \times (526.06 - 250)^2$$
$$= 335.86 \times 10^8\ (\text{mm}^4)$$

$$i = \sqrt{\frac{I}{A}} = \sqrt{\frac{335.86 \times 10^8}{965000}} = 186.56\ (\text{mm})$$

$$h_T = 3.5i = 653.0\text{mm}$$

（2）求高厚比及影响系数

$$\beta = \frac{H_0}{h_T} = \frac{9.72}{0.653} = 14.89$$

$$e = \frac{M}{N} = \frac{30 \times 10^6}{200 \times 10^3} = 150\ (\text{mm})$$

$$\frac{e}{h_T} = \frac{150}{653} = 0.230$$

查表得 $\varphi=0.33$

(3) 承载力验算 ($f=1.48\text{N/mm}^2$)

由于 $\frac{e}{y^2}=\frac{150}{526.06}=0.285<0.7$，故只验算承载力即可。

$N_u=\gamma_a\varphi fA=1.0\times0.33\times1.48\times965000=471.3$ (kN) >200kN 满足要求。

7. 教学楼平面尺寸如图 3-4 所示。外墙厚 370mm，内纵墙及横墙厚 240mm，底层墙高 4.8m，隔墙厚 120mm，高 3.6m，砂浆强度等级为 M5，采用钢筋混凝土楼盖，试验算底层各墙体的高厚比。

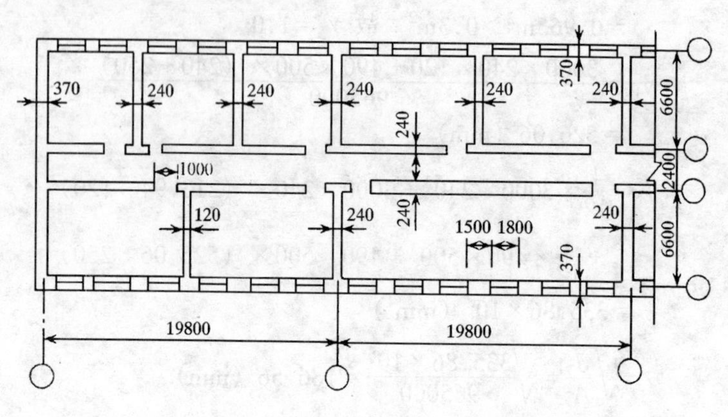

图 3-4

解： (1) 外纵墙高厚比验算

对外纵墙，横墙最大间距 $s=19.8$m，根据楼盖类型查有关表可确定为刚性方案，且 $s=19.8\text{m}>2H=2\times4.8=9.6$m，查有关表得 $H_0=1.0$，$H=4.8$m

由砂浆强度等级 M5，查有关表得 $[\beta]=24$，外纵墙为承重墙，则 $\mu_=1.0$，

外纵墙的相邻窗间墙间距 $s_1=3.3\text{m}$，门窗洞口宽度为 $b_s=1.8\text{m}$，故

$$\mu_2=1-\frac{0.4b_s}{s_1}=1-\frac{0.4\times1.8}{3.3}=0.78$$

$\beta=\dfrac{H_0}{h}=\dfrac{4.8}{0.37}=12.97<\mu_1\mu_2\,[\beta]=1.0\times0.78\times24=18.72$ 高厚比满足要求。

（2）内纵墙高厚比验算

内纵墙的门窗洞口宽度 $b_s=2\times1.0=2\text{m}$，$s_1=19.8\text{m}$

$\mu_2=1-\dfrac{0.4b_s}{s_1}=1-\dfrac{0.4\times2.0}{19.8}=0.96$，承重墙 $\mu_1=1.0$

$\beta=\dfrac{H_0}{h}=\dfrac{4.8}{0.24}=20<\mu_1\mu_2\,[\beta]=1.0\times0.96\times24=23.04$ 高厚比满足要求。

（3）横墙高厚比验算

对横墙而言，$s=6.6\text{m}$，$2.0H=2.0\times4.8=9.6\text{m}$，故 $H<s<2.0H$，则

承重墙 $\mu_1=1.0$，且无门窗洞口 $\mu_2=1.0$，

$\beta=\dfrac{H_0}{h}=\dfrac{3.6}{0.24}=15<\mu_1\mu_2\,[\beta]=1.0\times1.0\times24=24$ 高厚比满足要求。

（4）隔墙高厚比验算

隔墙砌筑时一般用斜放立砖顶住梁底，可按不动铰支点考虑，则

$$H_0=1.0H=3.6\text{m}$$

隔墙为非承重墙，墙厚120mm，则 $\mu_1=1.44$，无门窗洞口 $\mu_2=1.0$

$\beta=\dfrac{H_0}{h}=\dfrac{3.6}{0.12}=30<\mu_1\mu_2\,[\beta]=1.44\times1.0\times24=$

34.56　高厚比满足要求。

8. 某装饰工程的隔墙采用轻钢龙骨轻质隔墙，隔墙面积为 $900m^2$，已知龙骨的中距为竖向 603mm，横向 1500mm，试按全国统一建筑装饰装修工程消耗量定额（GYD-901-2002）确定完成该工程需消耗综合工日、轻钢龙骨、膨胀螺栓、铆钉的数量。

9. 某商场一圆柱外包钛金板，其内部骨架为角钢骨架外包钢板基层。已知该柱柱高为 3.5m，柱的直径为 1000mm，试按全国统一建筑装饰装修工程消耗量定额（GYD-901-2002）确定完成该工程需消耗综合工日、角钢、钢板、钛金板、膨胀螺栓、射钉的数量。

10. 某装饰工程需做装配式 U 型轻钢龙骨顶棚（不上人型）$1500m^2$，该顶棚为迭级式顶棚，龙骨间距为 300mm，试按全国统一建筑装饰装修工程消耗量定额（GYD-901-2002）确定完成该工程需消耗综合工日、吊筋、轻钢龙骨、高强螺栓及射钉的数量。

11. 某多层现浇框架结构房屋，底层中间柱按轴心受压构件计算。该柱以承受荷载为主，安全等级为二级。轴向力设计值 $N = 2160kN$，从基础顶面到一层楼盖顶面的高度 $H = 5.6m$，混凝土强度等级为 C25（$f_c = 11.9N/mm^2$），钢筋采用Ⅲ级（$f'_y = 360N/mm^2$）。求该柱截面尺寸及纵筋面积。

解： 初步确定截面形式和尺寸：

由于是轴心受压构件，因此采用方形截面形式，并拟定截面尺寸 $b = h = 400mm$。

确定稳定系数 φ：取计算长度 $l_0 = 1.0H = 1.0 \times 5600$（mm）

则 $$\frac{l_0}{b}=\frac{5600}{400}=14$$

查表得 $\varphi=0.92$

计算纵向钢筋截面面积 A'_s：由 $N=0.9\varphi\ (f_cA+f'_yA'_s)$ 得

$$A'_s=\frac{\frac{N}{0.9\varphi}-f_cA}{f'_y}=\frac{\frac{2160\times10^3}{0.9\times0.92}-11.9\times400\times400}{360}$$

$$=1957.5\ (mm^2)$$

$\rho'=\frac{A'_s}{bh}=\frac{1957.5}{400\times400}=1.22\%>\rho'_{min}=0.6\%$ 满足要求。

选筋Φ 25Ⅲ级钢筋 4 根。

(四) 简答题

1. 据合金元素的含量不同，合金钢可分为哪几种？

答：低合金钢、中合金钢、高合金钢。

2. 国家标准规定，对碳素结构钢的技术要求应包括哪些方面？

答：化学成分、力学性能、工艺性能。

3. 建筑装饰装修工程中，在钢材的选用上应主要考虑哪些方面？

答：①钢材性能、质量及相应标准。

②工程使用条件对钢材性能的要求。

4. Q235-D 号钢材，根据其性能在什么条件下使用，更显其优越性？

答：负温条件下使用。

5. Q235-A 号钢材，一般适用承受何种荷载的结构？

答：静荷载。

6.Q215号钢材，在经过何种工艺处理后可代替Q235号钢材使用？

答：冷加工处理。

7.钢材的伸长率，表明是钢材的何种变形能力？

答：塑性变形能力。

8.在钢材的冷弯性能试验中，当试件达到什么标准时，认为钢材是合格产品？

答：试件弯曲处的拱面和两个侧面，均不能发生裂缝、断裂和起层现象。

9.何为钢材的时效？

答：随时间的延长，钢材的强度有所提高，但其塑性和韧性有所下降，此现象称为钢材的时效。

10.何为钢材的疲劳破坏？

答：钢材在多变荷载的反复作用下，远低于屈服强度时的破坏。

11.简述铝的生产步骤。

答：第一步用氢氧化钠或碳酸钠将矿石中氧化铝分离出来；第二步是将氧化铝电解提取金属铝。

12.简述阳极氧化的原理。

答：阳极氧化的原理，实际是水的电解，水电解时在阴极上放出氢气，在阳极上产生氧气，氧气与铝在阳极形成的三价铝离子结合形成氧化铝薄层，从而达到铝型材氧化目的。

13.铝型材表面着色处理方法中，常用的有哪两种？

答：自然着色法、电解着色法。

14.何为铝型材的自然着色法？

答：铝材在特定的电解液和电解条件下，进行阳极氧化的同时而产生着色的方法，称为自然着色法。

15. 焊条的药皮在焊接过程中的主要作用是什么?

答：提高电弧燃烧的稳定性，防止空气对熔化金属的有害作用，对熔池脱氧和加入元素，以保证焊缝金属的化学成分和力学性能。

16. 流水施工的优点主要表现在哪几个方面?

答：(1) 由于各施工过程的施工班组生产的连续性、均衡性，以及各班组施工专业化程度高，不仅能提高工人的技术操作水平和熟练程度，提高劳动生产效率，而且也有利于施工质量的不断提高。

(2) 流水施工能充分、合理地利用工作面，减少或避免“窝工”现象，在不增加施工班组的组数和人数的情况下，合理地缩短了工期，为装饰装修单位早日使用创造条件，从而也为国家更早更多地创造财富。

17. 组织流水施工的必要条件是什么?

答：(1) 划分工程量（或劳动量）相等或基本相等的若干个施工区段（流水段)。

(2) 每个施工过程组织独立的施工班组。

(3) 安排主要施工过程的施工班组进行连续的、均衡的流水施工。

(4) 不同的施工班组按施工工艺要求，应可能组织平搭接施工。

18. 在流水施工中，施工过程划分数目多少和粗细程度一般与哪些因素有关?

答：(1) 施工计划的性质和作用。

(2) 施工方案。

(3) 工程量的大小与劳动力的组织。

（4）施工的内容和范围。

19. 确定流水步距的基本要求是什么？

答：（1）始终保持两个相邻施工过程的先后工艺顺序。

（2）保持主要施工过程的连续、均衡。

（3）做到前后两个施工过程施工时间的最大搭接。

20. 划分施工段的基本要求是什么？

答：（1）施工段的数目及分界要合理。

（2）各施工段上所消耗的劳动量相等或大致相等（相差应当在15%之内），以保各施工班组的连续均衡性。

（3）划分的施工段必须为后面的施工提供足够的工作面。

（4）当施工对象有层高关系，分段又分层时，第一层的最少施工段数必须大于或等于其施工过程数。

21. 网络计划与横道计划相比具有哪些优点？

答：（1）能够明确的反映出各施工过程之间的逻辑关系，使各施工过程组成一个有机统一的整体。

（2）由于施工过程之间的逻辑关系明确，便于进行各种时间参数的计算，有利于进行定量分析。

（3）能在错综复杂的计划中找出影响整个工程进度的关键施工过程，便于管理人员集中精力抓施工中的主要矛盾，确保按期竣工，避免盲目施工。

（4）可以利用计算出的某些施工过程的机动时间更好地利用和调配人力、物力，以达到降低成本的目的。

（5）可用电子计算机对复杂的计划进行计算、调整与优化，实现科学管理。

22. 在绘制网络图时，应遵循的基本原则是什么？

答：（1）一张网络图只能有一个开始事件和一个结束事

件。

（2）网络图中，不允许出现闭合回路。

（3）在一张网络图中，不允许出现一个代号代表一个施工过程。

（4）在一张网络图中,不允许出现同样编号的事件和工作。

（5）在网络图中,不允许出现无箭头或有双箭头的连线。

（6）在网络图中，应尽量避免交叉箭杆，当确实无法避免时，应采用过桥法或断线法表示。

23. 在图上计算法中，网络图的时间参数有哪些？

答：（1）各事件最早可能开始时间。

（2）各事件最迟必须开始时间。

（3）各工作的最早可能开始和结束的时间。

（4）各工作最迟必须开始和结束的时间。

（5）总时差。

（6）局部时差。

24. 时标网络计划具有哪些特点？

答：（1）为了使网络计划表达施工过程直观、清晰,时标网络计划中工作箭杆线的长度应与工作的持续时间长度一致。

（2）各施工过程的时间参数，可以直接显示在时标网络计划上。

（3）由于时标网络在绘制中受到时间坐标的限制，因此象“闭合回路”之类的错误就很容易被发现。

（4）对劳动力、材料、机具等资源的需要量可以直接标注在时标网络上，这样既便于绘制资源消耗的动态曲线，又便于有计划的分析和控制。

（5）由于时标网络计划中工作箭杆线的长度和位置受时间

坐标的限制,因此它的修改和调整就没有无时标网络方便。

25. 简述用直接绘制法绘制时标网络图的步骤。

答:(1)首先将起点事件定位在时间坐标横轴为零的纵轴上。

(2)其次按工作的持续时间,在时间坐标上绘制以起点事件为开始事件的各工作箭杆。

(3)其他工作的开始事件必须在该工作的全部紧前工作都绘出后,定位在这些紧前工作最晚完成的时标纵轴上。某些工作的箭杆线长度不足以达到该节点时,用波浪线来补足,箭头画在波浪线与节点连接处。

(4)用以上方法从左到右依次确定其他事件的位置,直至网络计划的终点事件定位为止。网络计划的终点事件是在无紧后工作的工作全部都绘出后,定位在最晚完成的时标纵轴上。

26. 建筑装饰装修工程施工组织设计的编制依据是什么?

答:(1)主管部门的有关批文及要求,主要是指上级主管部门对该工程的批示,装饰装修施工单位对工程质量、工期要求,以及施工合同的有关规定等。

(2)经过会审的施工图,主要是指该工程经过会审以后的全部施工图纸、图纸会审记录、设计单位变更或补充设计的通知以及有关标准图集等。

(3)施工时间计划,主要是指工程的开、竣工日期的规定,以及其他穿插项目施工的要求等。

(4)施工组织总设计,如果单位建筑装饰装修工程是整个建筑装饰装修工程的一个项目,那么应将建筑装饰工程施工组织总设计中的总体施工部署,以及与本工程施工有关的规定和要求作为编制依据。

(5) 工程预算文件及有关定额，主要指详细的分部、分项工程量，预算定额和施工定额等。

(6) 现场施工条件，主要指水、电的供应，临时设备的来源，劳动力、材料、机具等资源的来源及供应情况等。

(7) 有关规范及操作规程，如施工验收规范、质量验评标准以及技术、安全操作规程等。

27. 建筑装饰装修工程自上而下、自下而上、自中而下再自上而中的施工流向，各有什么优缺点?

答：自上而下特点是主体结构完成后，建筑物有一个沉降时间，沉降变化趋向稳定，这样可保证室内装饰装修质量，减少或避免各工种操作互相交叉，便于组织施工，而且自上而下的清理也很方便。

自下而上的特点是可以与土建主体结构平行搭接施工，这样工期（指总工期）能相应缩短。但是当装饰装修采用垂直向上施工时，如果流水节拍控制不当，就可能超过主体结构的施工速度，从而被迫中断流水。

自中而下再自上而中，其特点综合了以上两点，一般适用于高层建筑的装饰装修工程施工。

28. 在确定建筑装饰装修工程施工过程的先后顺序时，应考虑哪些因素?

答：(1) 施工工艺，由于各施工过程之间客观上存在着工艺顺序的关系，因此在确定施工顺序时，必须遵循这种关系。例如，门窗没有安装好，地面或墙面抹灰就不能开始；抹灰罩面应待基层完工后，并经一段时间干燥才能进行。

(2) 施工方法和施工机械，例如，当室内有水磨石地面时，为避免水磨石施工对外墙抹灰的影响，应当先做室内水磨石地面；当采用单排脚手架砌墙时，由于墙面脚手眼很多，所以应先做外墙装饰，拆除脚手架，填补脚手眼，再进行内墙抹灰。

(3) 施工组织要求，在门窗工程中，门窗扇的安装，通常是在抹灰后进行，而油漆和安装玻璃的顺序视具体情况而定，可以先油漆后玻璃，也可以先玻璃后油漆，但从施工组织的角度来看，前一种方案比较合理，因为先油漆后玻璃，避免了在油漆时弄脏玻璃。

(4)施工质量要求,例如,某多层结构房屋的装饰装修与土建施工平行搭接,若要对内墙面及顶棚抹灰,应待上层楼地面做完后再进行,否则抹灰容易遭破坏,造成返工修补。

(5) 气候条件，对施工顺序的确定影响也较大。例如，在雨期或冬期来临之前，应先做室外的各项施工作业为室内施工创造条件，同时，在冬期施工时，可先安装门窗玻璃，再做室内地面及墙面抹灰等，这就有利于保温和养护。

(6) 安全技术要求，合理的施工顺序，必须使各施工过程的搭接不至于引起安全事故。例如，与土建相配套的装饰装修工程，不能在同一层上安装楼板又进行内墙抹灰。

29. 建筑装饰装修工程招标与投标有何作用?

答：(1) 提高施工企业的经营管理水平。招标、投标使建设单位和施工企业进入建筑装饰装修市场进行公平交易、平等竞争，迫使施工企业提高经营管理水平和工作效率，从而能以高质量、低成本、短工期的良好企业信誉参加市场竞争，并立于不败之地。

(2) 提高施工企业的施工技术水平，保证工期质量。招标、投标迫使施工企业采用先进的施工工艺和施工机械，从而达到提高工程质量的目的。

(3) 缩短工期，加快建设速度。实行招标、投标制后，工程合同工期明显低于现行定额工期，工程能提前交付使用，提前发挥经济效益。

(4) 降低工程造价，节约建设资金。实行招标、投标制后，由于施工企业为了中标，一般报价低于标的，在保证有利可图的前提下，让部分利于对方。

(5) 简化了结算手续,减少了甲、乙双方之间的扯皮现象。进行招标投标的建筑装饰装修工程,决标造价即为结算价格,工程竣工后,即可办理结算手续,并及时办理固定资产移交手续。

30. 简述建筑装饰装修工程招标与投标程序。

答：招标程序：具备招标条件→申请招标→编制招标文件及标的→公布招标消息→接受报名→对投标者进行资格审查→发出招标文件→组织现场勘察及释疑→受标→开标→评标→决标→合同谈判→签定工程承包合同。

投标程序：获取招标信息→是否参加投标的决策→投标准备→申请投标→接受资格审查→领取招标文件→参加现场勘察及释疑→编制投标文件→投标→参加开标→等待评标、决标→合同谈判→签定工程承包合同。

二、实际操作题

1. 题目：钢骨架平面招牌基层制作固定

考核项目及评分标准

序号	考核项目	检查方法	测量	允许偏差	评分标准	满分	得分
1	型钢材质、规程	观察、合格证	任意		不符合要求每点扣3分	10	
2	型钢连接方法正确、牢固	观察、手扳	任意		不符合要求每点扣3分	15	

续表

序号	考核项目	检查方法	测量	允许偏差	评分标准	满分	得分
3	招牌固定牢固	观察、手扳	任意		不符合要求每点扣3分	15	
4	防锈、防腐处理	观察	任意		不符合要求每点扣3分	10	
5	形体准确、表面平整	尺量	任意	3mm	不符合要求每点扣3分	10	
6	工艺操作规程				错误无分，局部错误扣1～9分	10	
7	安全生产				有事故无分，有事故隐患扣1～4分	10	
8	文明施工				工完料不清扣5分	10	
9	工效				低于定额90%无分，在90%～100%之间酌情扣分，超过定额者，酌情加1～3分	10	

2. 题目：涂色镀锌钢板门窗安装

考核项目及评分标准

序号	考核项目	检查方法	测量	允许偏差	评分标准	满分	得分
1	门窗横框标高	用钢尺检查	4个	5mm	按水平线安装，超过0.5mm，每点扣2分	10	
2	门窗框与墙体间的缝合理	轻敲门窗框检查	任意		填嵌饱满，用密封胶密封，不符合要求每点扣2分	10	
3	门窗扇密封	观察、开启和关闭检查	任意		密封完好，不得脱槽，不符合要求每点扣2分	10	
4	门窗槽口对角线长度差	用钢尺检查	2个	≤2000，4mm >2000，5mm	每超过0.5mm，扣2分	10	
5	门窗槽口宽度、高度	用钢尺检查	4个	≤1500，2mm >1500，3mm	每超过0.5mm，扣2分	10	
6	门窗框正侧面垂直度	用垂直检测尺检查	4个	3mm	每超过0.5mm，扣2分	10	
7	门窗横框平直度	用1m水平尺和塞尺检查	任意	3mm	每超过0.5mm，扣2分	5	
8	门窗竖向偏离中心	用钢尺检查	任意	5mm	每超过0.5mm，扣2分	5	

续表

序号	考核项目	检查方法	测量	允许偏差	评分标准	满分	得分
9	工艺操作规程				错误无分，局部错误扣1～9分	10	
10	安全生产				有事故无分，有事故隐患扣1～4分	5	
11	文明施工				工完料不清扣5分	5	
12	工效				低于定额90%无分，在90%～100%之间酌情扣分，超过定额者，酌情加1～3分	10	

3. 题目：装饰装修金属工程施工组织设计

考核项目及评分标准

序号	考核项目	检查方法	测量	允许偏差	评分标准	满分	得分
1	工程量计算	校对	全部	±5%	超过者及漏项、多项均扣分	25	
2	材料预算	校对	全部	±5%	超过者及漏项、多项均扣分	15	

续表

序号	考核项目	检查方法	测量	允许偏差	评分标准	满分	得分
3	人工预算	校对	全部	±5%	超过者及漏项、多项均扣分	15	
4	施工方案	校阅			技术措施先进，人员、机械安排合理	15	
5	工艺流程	校阅			流程合理，无漏项	10	
6	进度计划	校阅			合理	10	
7	质量验收	校阅			合理、全面	5	
8	安全措施	校阅			合理、全面	5	

4. 题目：制作建筑小区模型

考核项目及评分标准

序号	考核项目	检查方法	测量	允许偏差	评分标准	满分	得分
1	尺寸位置	目测、尺量	任意	±1.5mm	水平尺寸、垂直高度不符，每点扣2分	10	
2	房屋立体模型	目测、尺量	任意	±1.5mm	形状不对、尺寸不准每点扣2分	20	

续表

序号	考核项目	检查方法	测量	允许偏差	评分标准	满分	得分
3	场地物品布置	目测	任意		尺寸合适，比例适当，形象逼真	10	
4	地盘地形	目测、尺量	任意	±1.5mm	形状正确，比例合理	10	
5	外观总体	目测			制作精细，接缝密实，形象生动	20	
6	工艺操作规程	校阅			错误无分，局部有误扣1～9分	10	
7	安全生产				有事故无分，有事故隐患扣1～4分	5	
8	文明施工				落手清不做扣5分	5	
9	工效				根据项目，按照劳动定额评分。低于定额90%本项无分，在90%～100%之间酌情扣分，超过定额者酌情扣1～3分	10	

◆ 建筑装饰装修职业技能岗位标准、鉴定规范、习题集

建筑装饰装修镶贴工

建筑装饰装修木工

建筑装饰装修金属工

建筑装饰装修涂裱工

建筑装饰装修幕墙制作工

建筑装饰装修幕墙安装工

◆ 建筑装饰装修职业技能岗位培训教材

建筑装饰装修镶贴工（初级工　中级工）

建筑装饰装修镶贴工（高级工　技师　高级技师）

建筑装饰装修木工　（初级工　中级工）

建筑装饰装修木工　（高级工　技师　高级技师）

建筑装饰装修涂裱工（初级工　中级工）

建筑装饰装修涂裱工（高级工　技师　高级技师）

建筑装饰装修金属工（初级工　中级工）

建筑装饰装修金属工（高级工　技师　高级技师）

建筑装饰装修幕墙工（初级工）

建筑装饰装修幕墙工（中级工　高级工　技师　高级技师）

1 5 1 1 2 1 0 6 9 8

责任编辑/朱首明

封面设计/傅金红

(10698) 定价：12.00 元

建筑装饰装修职业技能

- 岗位标准
- 鉴定规范
- 习题集

JIANZHUZHUANGSHIZHUANGXIUJINSHUGONG

建筑装饰装修
金属工

中国建筑工业出版社